Inhoud

De muizeval

Drie Blinde Muizen
Ziet hoe ze rennen
Ziet hoe ze rennen
Ze renden achter de boer z'n wijf
Die sneed hun de staart met een vleesmes van het lijf
Zag je ooit ergens zo'n wreed bedrijf?

Proloog

Het was erg koud en donker en er hing een flink pak sneeuw in de lucht.

Een man met een donkere overjas aan, zijn das tot over zijn oren en zijn hoed over zijn ogen getrokken, liep door Culver Street en ging de stoep van no. 74 op. Hij drukte op de bel en hoorde die beneden in het souterrain overgaan.

Mevrouw Casey, die bezig was met afwassen, zei wrevelig: 'Die verdraaide bel. Een mens heeft ook nooit rust.'

Ze strompelde licht hijgend de trap van het souterrain op en deed open.

Een man, scherp afgetekend tegen de duistere hemel, vroeg fluisterend:

'Mevrouw Lyon?'

'Tweede verdieping,' zei mevrouw Casey. 'Gaat u maar door naar boven. Verwacht ze u?' De man schudde langzaam het hoofd. 'O, nou, gaat u maar naar boven en klop daar.'

Ze keek hem na toen hij de trap opging, waarop een

armoedige loper lag. Naderhand zei ze dat hij 'haar een raar gevoel' had gegeven. Maar feitelijk had ze alleen maar gedacht dat hij wel een zware kou moest hebben gevat, als hij alleen maar kon fluisteren – en dat was ook geen wonder met zulk weer.

Toen de man voorbij de bocht van de trap was, begon hij zachtjes te fluiten. Het wijsje dat hij floot was dat van 'Drie Blinde Muizen'. . .

Hoofdstuk 1

1

Molly Davis liep een eindje achteruit de weg op en keek omhoog naar het pas geschilderde bord bij het hek.

Monkswell Manor
Pension

Ze knikte goedkeurend. Het leek werkelijk door een vakman gedaan. Of misschien moest je zeggen, het leek *haast* door een vakman gedaan. De S van Pension was een beetje uitgeschoten en de laatste letters van Manor stonden wat dicht op elkaar, maar over het geheel genomen had Giles het er keurig afgebracht. Giles was werkelijk erg knap. Hij kon zóveel. Ze ontdekte telkens weer nieuwe hoedanigheden in die man van haar. Hij zei zo weinig over zichzelf dat ze er maar heel geleidelijk achter kwam wat hij wel allemaal voor talenten bezat. Een gewezen zeeman was altijd 'van alle markten thuis' zoals de mensen zeiden.

Nu, Giles zou al zijn talenten wel nodig hebben bij hun nieuwe onderneming. Niemand kon meer onervaren zijn in het houden van een pension dan zij en Giles. Maar het zou enig zijn. En het loste in elk geval het huisvestingsprobleem op.

Het was een idee van Molly geweest. Toen tante Katrien stierf en ze een brief van de notaris kreeg met het bericht dat haar tante haar Monkswell Manor had nagelaten, was de natuurlijke reactie van het jonge paar geweest het te verkopen. Giles had gevraagd: 'Hoe ziet 't er uit?' En Molly had geantwoord: 'O, een groot, stijlloos oud huis, vol met stoffige ouderwetse Victoriaanse meubels. Wel een aardige tuin, maar erg verwilderd sinds de oorlog, omdat er nog maar één tuinman over was.'

Dus hadden ze besloten het huis te koop te zetten en voor zichzelf net genoeg meubels te behouden om daarmee een klein huisje of flat te kunnen inrichten.

Maar er waren al dadelijk twee moeilijkheden. Ten eerste waren er geen kleine huisjes of flats te krijgen en ten tweede waren alle meubels enorm groot.

'Nu,' zei Molly, 'dan zullen we eenvoudig *alles* moeten verkopen. Ik denk toch wel dat we 't *zullen* verkopen?'

De notaris verzekerde hun dat in deze tijd *alles* verkoopbaar was.

'Hoogstwaarschijnlijk,' zei hij, 'zal iemand 't kopen om er een hotel of pension te beginnen, en in dat geval zullen ze 't mogelijk wel met de hele inboedel erbij willen nemen. Gelukkig is het huis goed onderhouden. Juffrouw Emory zaliger heeft 't voor de oorlog net helemaal laten opknappen en moderniseren en er is bijna niets aan beschadigd. O, 't is zeer zeker in goede conditie.'

En toen had Molly haar ingeving gekregen.

'Giles,' had ze gezegd, 'waarom zouden we er niet *zelf* een pension gaan houden?'

Eerst had haar man haar uitgelachen om het plan, maar Molly was blijven aanhouden.

'We behoeven niet veel mensen te nemen – in 't begin tenminste niet. 't Huis is gemakkelijk te onderhouden – er is warm en koud water in de slaapkamers en centrale verwarming en een gasfornuis. En we kunnen kippen en eenden houden en onze eigen eieren en groenten hebben.'

'Wie moet al 't werk in huis doen – is 't niet erg moeilijk om personeel te krijgen?'

'O, we zullen *zelf* al 't werk in huis moeten doen. Maar dat zouden we toch moeten doen, wáár we ook woonden. Een paar mensen extra zou heus niet zoveel meer werk geven. We zouden na een poosje waarschijnlijk wel een werkster kunnen krijgen, als we maar eenmaal behoorlijk op gang zijn. Als we maar vijf mensen hadden, die elk vijfenzeventig gulden per week betaalden –' Hier brak Molly af om zich in gedachten in een optimistische rekensom te verdiepen.

'En bedenk dan eens, Giles,' besloot ze. ''t Zou ons *eigen* huis zijn. Met onze *eigen* spullen. Zoals 't nu is, lijkt 't me dat 't nog jaren kan duren eer we ergens een onderdak kunnen vinden.'

Giles moest toegeven dat dat waar was. Ze waren maar zo weinig bij elkaar geweest sinds hun overhaaste huwelijk dat ze er allebei naar verlangden zich in een eigen huis te vestigen.

En zo waren ze aan de grote onderneming begonnen. Ze zetten advertenties in de plaatselijke krant en in de *Times* en er kwamen verscheidene brieven binnen.

En nu zou vandaag de eerste van de gasten komen. Giles was al vroeg in de auto weggegaan om te proberen een partij kippegaas te bemachtigen die in een dump te koop werd aangeboden in een ander deel van de provincie. Molly had aangekondigd dat ze beslist naar het dorp moest om nog wat laatste inkopen te doen.

Het enige wat niet deugde was het weer. Het was de laatste paar dagen bitter koud geweest en nu was het beginnen te sneeuwen. Molly liep haastig de oprijlaan op, terwijl dikke, vederlichte vlokken op de schouders van haar regenjas vielen en in haar blonde krulhaar. De weerberichten waren uitzonderlijk somber geweest. Er moest op zware sneeuwval worden gerekend.

Ze hoopte vurig dat niet alle leidingen zouden bevriezen. Het zou toch te erg zijn, als alles bij het begin al verkeerd zou gaan. Ze keek op haar horloge. Het was al theetijd geweest. Zou Giles al terug zijn? Zou hij zich soms afvragen waar *zij* bleef?

'Ik moest weer naar 't dorp om iets dat ik had vergeten,' zou ze zeggen. En hij zou lachen en zeggen: 'Nog meer blikken?'

De blikken waren een grapje van hen beiden. Ze waren altijd op de uitkijk naar blikken voedsel. De provisiekast was nu heus aardig gevuld voor geval van nood.

En terwijl ze naar de lucht keek, bedacht Molly met een grijns, dat het ernaar uitzag, alsof binnenkort de nood wel aan de man zou komen.

Het huis was leeg. Giles was nog niet terug. Molly ging eerst naar de keuken, toen naar boven om de pas in gereedheid gebrachte slaapkamers nog eens door te lopen. Mevrouw Boyle in de kamer op het zuiden met het mahoniehout en het hemelbed. Majoor Metcalf in de blauwe kamer met het eikehout. Meneer Wren in de kamer op het oosten met de erker. De kamers zagen er allemaal aardig uit – en wat een zegen dat tante Katrien zo ontzettend veel linnengoed had gehad. Molly trok een sprei recht en ging weer naar beneden. Het was bijna donker. Het huis deed plotseling erg stil en leeg aan. Het was een eenzaam huis, drie kilometer van een dorp, drie kilometer, zoals Molly het stelde, *overal* vandaan.

Ze was dikwijls tevoren alleen in het huis geweest – maar ze was zich nooit tevoren zo bewust geweest dat ze er alleen was. . .

De sneeuw joeg zachtjes tegen de vensterruiten. Het maakte een suizend, onbehaaglijk geluid. Veronderstel dat Giles niet terug kon komen – veronderstel dat de sneeuw zo dik lag dat de auto er niet door kon? Veronderstel dat ze hier alleen moest blijven – misschien wel dagen lang!

Ze keek de keuken rond – een grote, gezellige keuken, die scheen te vragen om een dikke, gezellige keukenmeid, die aan de keukentafel troonde, terwijl ze met regelmatig kauwende kaken krentenbollen at en sterke thee dronk – ze zou aan haar ene zijde een schraal, al wat ouder binnenmeisje moeten hebben en aan haar andere zijde een mollig, roodwangig werkmeisje, en tegenover haar, aan het andere eind van de tafel, een keukenhulpje, dat met verschrikte ogen naar haar meerderen zat te kijken. En in plaats daarvan was er alleen maar zijzelf, Molly Davis, die een rol speelde die haar nog niet zo erg scheen te liggen. Op het ogenblik leek haar hele leven onwerkelijk – Giles leek onwerkelijk. Ze speelde komedie – ze speelde alleen maar komedie. . .

Een schaduw gleed langs het raam en ze sprong op – een vreemde man kwam door de sneeuw. Ze hoorde het gerammel van de zijdeur. De vreemdeling stond daar in de deuropening en schudde de sneeuw af, een vreemde man, die het lege huis inkwam.

En toen viel opeens de verbeelding weg.

'O, Giles,' riep ze uit, 'ik ben zo blij dat je er bent!'

2

'Hallo, lieveling! Wat een vreselijk weer! Hemel, ik ben gewoon *bevroren*.'

Hij stampte met zijn voeten en blies in zijn handen.

Werktuigelijk nam Molly de jas op, die hij, echt op Giles-manier, op de ladenkast had neergegooid. Ze hing hem op een kleerhanger en haalde uit de volgepropte zakken een das, een krant, een kluwen touw en de post van die morgen, alles had hij zo maar door elkaar in zijn zakken gestopt. Nadat ze ermee naar de keuken was gegaan, legde ze de spulletjes op de aanrecht en zette de ketel op het gas.

'Heb je 't kippegaas gekregen?' vroeg ze. 'Wat ben je ontzettend lang weggebleven.'

''t Was 't goede soort niet. Daar hadden we niets aan gehad. Ik ben doorgegaan naar een andere dump, maar dat was ook niets. Wat heb jij uitgevoerd? Er is zeker nog niemand gekomen?'

'Mevrouw Boyle komt in geen geval vóór morgen.'

'Majoor Metcalf en meneer Wren zouden vandaag hier moeten zijn.'

'Majoor Metcalf heeft bericht gestuurd dat hij niet vóór morgen komt.'

'Dan zullen we dus alleen met meneer Wren eten. Hoe denk je dat hij er uitziet? Volgens mij als een keurig type gepensioneerd Brits-Indisch ambtenaar.'

'Nee, ik denk dat 't een artiest is.'

'In dat geval,' zei Giles, 'kunnen we hem beter een week pension vooruit laten betalen.'

'O, nee, Giles, ze brengen bagage mee. Als ze niet betalen, leggen we beslag op hun bagage.'

'En als hun bagage nu eens bestaat uit in kranten verpakte stenen? Goed beschouwd, Molly, weten we eigenlijk helemaal niet wat voor moeilijkheden ons bij deze zaak nog te wachten staan. Ik hoop dat ze niet merken wat voor beginnelingen we zijn.'

'Mevrouw Boyle zal 't zeker merken,' zei Molly. 'Zo'n soort vrouw is ze wel.'

'Hoe weet je dat? Je hebt haar toch niet gezien?'

Molly wendde zich af. Ze spreidde een krant uit op de tafel, haalde een stuk kaas en begon het te raspen.

'Wat is dat?' informeerde haar echtgenoot.

'Dat moet Welsh Rarebit worden,' lichtte Molly hem in. 'Broodkruimels en aardappelpuree en nog een *snippertje* kaas om de naam te rechtvaardigen.'

'Wat een geweldige kookster ben je toch!' zei haar man vol bewondering.

'Dat weet ik zo nog niet. Ik kan maar één ding tegelijk doen. Je moet juist zo ervaren zijn om allerlei *tegelijk* te doen. 't Ontbijt is het ergst.'

'Waarom?'

'Omdat je alles tegelijk moet klaarmaken – eieren en ham en warme melk en koffie en toast. De melk kookt over of de toast verbrandt of de ham krult om of de eieren worden te hard. Je moet wel zo bijdehand als een kraai zijn om alles tegelijk in de gaten te houden.'

'Ik zal morgenochtend ongemerkt naar beneden moeten sluipen om deze personificatie van een kraai te bekijken.'

''t Water kookt,' zei Molly. 'Zullen we 't blad meenemen naar de bibliotheek en naar de radio luisteren? 't Is bijna tijd voor 't nieuws.'

'Aangezien 't ernaar uitziet dat we bijna al onze tijd in de keuken zullen doorbrengen, hoorden we daar ook een radio te hebben.'

'Ja. Wat zijn keukens toch gezellig. Ik ben dol op deze keuken. Ik vind 't verreweg 't gezelligste vertrek van 't huis. Ik vind de aanrecht prettig en de borden, en 't gevoel van ruimte dat dat enorme keukenfornuis me geeft vind ik gewoonweg verrukkelijk – hoewel ik natuurlijk dankbaar ben dat ik er niet op behoef te koken.'

'Ik denk wel dat er een voorraad brandstof voor een jaar in zou gaan?'

'Daar kun je wel zeker van zijn, zou ik zeggen. Maar denk eens aan de grote stukken vlees die erin gebraden werden – grote stukken rundvlees en schaapsbouten. En geweldige koperen inmaakpannen erop met eigengemaakte aardbeienjam waarin ponden en ponden suiker gingen. Wat was die Victoriaanse tijd toch heerlijk geriefelijk. Kijk maar eens naar 't meubilair boven, groot en stevig, wel met veel tierelantijnen – maar o, wat zijn ze zalig gemakkelijk, met volop ruimte voor de vele kleren die men toen had en met laden die gemakkelijk in- en uitgleden. Herinner je je die mooie moderne flat die ons was geleend? Alles ingebouwd en goed glijdend – maar er gleed niets – 't bleef altijd steken. En de deuren "vanzelf sluitend" – maar ze bleven nooit gesloten en als ze wèl sloten, wilden ze niet meer open.'

'Ja, dat is 't ergste van dat soort snufjes. Als ze niet goed functioneren, ben je verloren.'

'Nou, kom, laten we naar 't nieuws luisteren.'

Het nieuws bestond voornamelijk uit grimmige waarschuwingen voor het weer, de gewone impasse met betrekking tot de buitenlandse verhoudingen, levendige schermutselingen in het parlement en een moord in Culver Street, Paddington.

'Bah,' zei Molly, terwijl ze de radio afzette. 'Niets dan narigheid. Ik ben niet van plan nog verder te luisteren naar verzoeken om zuinig met brandstof te zijn. Wat verwachten ze eigenlijk dat je zult doen, gaan zitten bevriezen? Ik geloof dat we in de winter geen pension hadden moeten beginnen. We hadden tot 't voorjaar moeten wachten.' Ze voegde er op andere toon aan toe: 'Ik zou weleens willen weten wat dat voor een vrouw was, die vermoord is.'

'Mevrouw Lyon?'

'Heette ze zo? Ik vraag me af wie haar wilde vermoorden en waarom. . .'

'Misschien had ze een fortuin onder de planken van de vloer.'

'Als er wordt gezegd dat de politie erg graag een man zou ondervragen die "in de buurt is gezien", betekent dat dan dat hij de moordenaar is?'

'Ik geloof dat dat gewoonlijk wel zo is. 't Is alleen maar een beleefde manier van zeggen.'

De schelle klank van een bel deed hen beiden opspringen.

'Dat is aan de voordeur,' zei Giles. 'En – een moordenaar trad binnen,' voegde hij er schertsend aan toe.

'Dat zou in een toneelstuk natuurlijk zo zijn. Schiet op. 't Moet meneer Wren zijn. Nu zullen we eens zien wie er gelijk heeft, wat hem betreft, jij of ik.'

3

Meneer Wren kwam, vergezeld van een sneeuwvlaag, met een vaart naar binnen. Alles wat Molly, staande in de deur van de bibliotheek, van de nieuwaangekomene kon zien, was zijn silhouet, afgetekend tegen de witte wereld buiten.

Molly dacht: Wat zien alle mannen er toch hetzelfde uit in hun beschaafde omhulsel. Donkere overjas, grijze hoed en een das om.

Even later had Giles de elementen buitengesloten. Meneer Wren deed zijn das af, zette zijn koffer neer en nam zijn hoed af – dat leek allemaal tegelijk te gebeuren, en hij praatte ook. Hij had een hoge, bijna klaaglijke, stem en verscheen in het licht van de hal als een jonge man met een ruige, enigszins verschoten haardos en lichte, rusteloze ogen.

'Wat ontzettend erg,' zei hij. 'De Engelse winter op zijn slechtst – een terugkeer naar de tijd van Dickens – Scrooge en Tiny Tim en zo. . . Je moest zo vreselijk flink zijn om ertegenop te kunnen. Gelooft u ook niet? En ik heb een vreselijke reis dwars door het land helemaal van Wales af achter de rug. Bent u mevrouw Davis? Maar wat heerlijk!' Molly's hand werd in een vaste, harde greep gepakt. 'Helemaal niet zoals ik me u had gedacht. Ik had me u voorgesteld, ziet u, als de weduwe van een generaal uit 't Indische leger. Erg streng en een echte Mem Sahib – en met een Benares etagère – een echte Victoriaanse etagère. Hemels, gewoon hemels. . . Hebt u ook kunstbloemen? Of paradijsvogels? O, maar ik zal beslist *dol* op dit huis worden. Ziet u, ik was bang dat 't zo heel erg Oudengels zou zijn – zo'n heel erg oud herenhuis – bij gebrek aan Benareskoper, bedoel ik. Maar 't is juist fantastisch – echte Victoriaanse gedegenheid. Vertel me eens, hebt u ook een van die prachtige buffetten – mahoniehout – prachtig donkerrood mahoniehout met grote uitgesneden vruchten?'

'Inderdaad,' zei Molly, nogal ademloos onder zijn stroom van woorden, 'hebben we dat.'

'Nee maar! Mag ik 't zien? Nu meteen. Is 't hier?' Zijn vlugheid was bijna ontstellend. Hij had de knop van de eetkamerdeur omgedraaid en knipte het licht aan. Molly volgde hem naar binnen, zich bewust van Giles' afkeurend gezicht links van haar.

Meneer Wren streek met zijn lange, lenige vingers

over het rijke houtsnijwerk van het stevige buffet, onder het uiten van goedkeurende kreten. Toen wierp hij zijn hospita een verwijtende blik toe.

'Geen grote mahonie eettafel? En in plaats daarvan al die losse tafeltjes?'

'We dachten dat de mensen 't zo prettiger zouden vinden,' zei Molly.

'Lieve mevrouw, u hebt natuurlijk *groot* gelijk. Ik liet me door mijn gevoel voor stijl meeslepen. En natuurlijk zou u, als u zo'n tafel had, de juiste familie eromheen moeten hebben. Een strenge, knappe vader met een baard – een afgesloofde moeder, elf kinderen, een grimmige gouvernante en iemand die "de arme Henriëtte" werd genoemd – de arme bloedverwante, die manusje van alles is en buitengewoon dankbaar dat ze een goed onderdak heeft. Kijk eens naar die open haard – en denk u eens in hoe de vlammen tot de schoorsteen opflikkeren en de rug van de arme Henriëtte verschroeien.'

'Ik zal uw koffer boven brengen,' zei Giles. 'De kamer op het oosten?'

'Ja,' zei Molly.

Meneer Wren schoot de hal weer in, toen Giles naar boven ging.

'Is er een hemelbed met een chintz gordijn met kleine roosjes?' vroeg hij.

'Nee, dat is er niet,' zei Giles en verdween om de bocht van de trap.

'Ik geloof niet dat uw man me aardig zal vinden,' zei meneer Wren. 'Waar is hij bij geweest? Bij de marine?'

'Ja.'

'Dat dacht ik wel. Die zijn veel minder verdraagzaam dan de mensen van 't leger en de luchtmacht. Hoe lang bent u getrouwd? Bent u erg verliefd op hem?'

'Misschien wilt u mee naar boven gaan en uw kamer bekijken.'

'Ja, dat was natuurlijk ongepast. Maar ik wilde 't werkelijk graag weten. Ik bedoel, 't is interessant, vindt u niet, alles over de mensen te weten. Wat *ze* voelen en denken, bedoel ik, niet alleen maar wie ze zijn en wat ze doen.'

'Ik neem aan,' zei Molly op gemaakt zedige toon, 'dat u meneer Wren bent?'

De jonge man brak plotseling af, greep met beide handen in zijn haar en trok er in wanhoop aan.

'Nee maar, wat vreselijk – ik begin nooit waar ik moet beginnen. Ja, ik ben Christopher Wren – nee, lach nu niet. Mijn ouders waren een romantisch stel. Ze hoopten dat ik architect zou worden. Dus dachten ze dat 't een prachtig idee zou zijn me Christopher te dopen – al een stuk in de richting, als 't ware.'

'En bent u architect?' vroeg Molly, ondanks zichzelf glimlachend.

'Ja, dat ben ik,' zei meneer Wren triomfantelijk. 'Tenminste, ik ben 't bijna. Ik heb nog niet de volledige bevoegdheid. Maar 't is wel een merkwaardig voorbeeld dat iets waarnaar je sterk verlangt, toch wel eens kan uitkomen. Maar bedenk wel dat de naam juist een hinderpaal zal zijn. Ik zal nooit *de* Christopher Wren zijn. Maar misschien zullen Chris Wrens prefabricated huisjes wel bekendheid verwerven.'

Giles kwam weer naar beneden en Molly zei: 'Ik zal u nu uw kamer wijzen, meneer Wren.'

Toen ze even later beneden kwam, zei Giles: 'En, vond hij 't aardige eikehouten meubilair mooi?'

'Hij was er erg op gesteld een hemelbed te hebben, dus heb ik hem de rose kamer maar gegeven.'

Giles mopperde en bromde iets, dat eindigde met 'snotneus'.

'Luister eens even, Giles', Molly nam een strenge houding aan, 'dit is geen partijtje met gasten die we moeten bezighouden. Dit is een zakelijke onderneming. Of je Christopher Wren nu aardig vindt of niet –'

'Ik mag hem niet,' viel Giles haar in de rede.

'– dat doet er niets toe. Hij gaat vijfenzeventig gulden per week betalen en dat is 't enige waarop 't aankomt.'

'Als hij betaalt, ja.'

'Hij heeft erin toegestemd 't te betalen. We hebben zijn brief.'

'Heb je die koffer van hem naar de rose kamer overgebracht?'

'Hij heeft hem natuurlijk gedragen.'

'Heel beleefd. Maar 't zou je geen inspanning hebben gekost. Hier is zeker geen sprake van in kranten verpakte stenen. Hij is zo licht dat er, lijkt mij, waarschijnlijk niets in zit.'

'Ssst, daar komt hij,' zei Molly waarschuwend.

Christopher Wren werd meegenomen naar de bibliotheek, die er, zoals Molly vond, erg gezellig uitzag met de grote stoelen en het vuur van houtblokken. Ze vertelde hem dat ze over een half uur zouden gaan eten. In antwoord op een vraag legde ze hem uit dat er op het ogenblik geen andere gasten waren. . . Wat dacht ze er in dat geval van, zei Christopher, als hij eens naar de keuken kwam en meehielp?

'Ik kan een omelet voor u maken, als u dat wilt,' zei hij innemend.

De daaropvolgende gebeurtenissen vonden in de keuken plaats en Christopher hielp met afwassen.

Op de een of andere manier voelde Molly dat het niet helemaal het juiste begin was voor een vormelijk pension – en Giles was het er helemáál niet mee eens. O nou, dacht Molly, toen ze in slaap viel, morgen, als de anderen kwamen, zou het wel anders gaan. . .

Hoofdstuk 2

1

De morgen brak aan met een donkere lucht en sneeuw.

Giles keek ernstig en Molly's moed zakte. Het weer zou alles erg moeilijk gaan maken.

Mevrouw Boyle kwam in de plaatselijke taxi met sneeuwkettingen om de wielen en de chauffeur bracht sombere berichten mee over de toestand van de weg.

'Sneeuwjacht voor het vallen van de avond,' voorspelde hij.

Mevrouw Boyle zelf deed de overheersende somberheid niet verminderen. Ze was een grote, onaantrekkelijke vrouw met een galmende stem en een bazige manier van doen. Haar aangeboren agressiviteit was nog verergerd door een baantje gedurende de oorlog, waarbij ze zich steeds heel nuttig en strijdlustig had betoond.

'Als ik niet had verondersteld dat dit een *lopend* bedrijf was, zou ik nooit zijn gekomen,' zei ze. 'Ik dacht natuurlijk dat dit een reeds lang gevestigd pension was, behoorlijk gedreven, op wetenschappelijke grondslag.'

'U bent niet verplicht te blijven, als 't u niet bevalt, mevrouw Boyle,' zei Giles.

'Nee, inderdaad, en daar denk ik ook niet over.'

'Misschien wilt u om een taxi bellen, mevrouw Boyle,' zei Giles. 'De wegen zijn nog niet versperd. Als er een of ander misverstand heeft plaatsgehad, is 't misschien beter dat u ergens anders heengaat.' Hij voegde eraan toe: 'We hebben zoveel aanvragen voor kamers gehad dat we uw plaats heel gemakkelijk weer bezet kunnen krijgen – we zijn zelfs van plan voortaan hogere prijzen voor onze kamers te vragen.'

Mevrouw Boyle keek hem scherp aan.

'Ik ben zeker niet van plan weg te gaan voor ik heb geprobeerd hoe 't hier is. Misschien kunt u me een behoorlijk grote badhanddoek geven, mevrouw Davis. Ik ben niet gewend me met een zakdoek af te drogen.'

Giles grinnikte tegen Molly achter mevrouw Boyles verdwijnende rug.

'Lieveling, je deed 't schitterend,' zei Molly. 'De

manier waarop je tegen haar standhield.'

'Je moet iemand met zijn eigen wapens bestrijden,' zei Giles.

'O hemel,' zei Molly. 'Ik ben benieuwd of ze met Christopher Wren kan opschieten.'

'Dat zal wel niet,' zei Giles.

En inderdaad, diezelfde middag merkte mevrouw Boyle tegen Molly op:

'Dat is een heel eigenaardige jongeman', met duidelijke afkeer in haar stem.

De bakker, die er uitzag als een poolreiziger, kwam het brood afleveren met de waarschuwing dat zijn volgende bezorging, die over twee dagen zou moeten plaatshebben, weleens zou kunnen vervallen.

'Die sneeuw geeft overal vertraging,' verkondigde hij. 'Ik hoop dat u nog genoeg voorraad hebt?'

'O ja,' zei Molly. 'We hebben hopen blikken. Maar ik kan toch maar beter wat extra bloem nemen.'

Ze bedacht vaag dat er iets was dat de Ieren maakten en dat 'sodabrood' heette. Als de nood aan de man kwam, kon ze dat misschien maken.

De bakker had ook kranten meegebracht en ze legde ze naast elkaar op de haltafel.

De buitenlandse politiek was niet zo belangrijk meer. Het weer en de moord op mevrouw Lyon prijkten nu op de voorpagina.

Ze stond naar de half vervaagde foto van de vermoorde vrouw te kijken, toen Christopher Wrens stem achter haar klonk.

'Nogal een *onverkwikkelijke* moord, vindt u niet? Zo'n kleurloos uitziende vrouw en zo'n *saai* straatje. Je hebt niet 't gevoel dat er een of ander drama achter steekt, wel?'

'Ik twijfel er niet aan,' zei mevrouw Boyle snuivend, 'of dat schepsel heeft gekregen wat ze verdiende.'

'O', meneer Wren wendde zich tot haar met innemende geestdrift, 'dus u denkt dat 't beslist een *sexuele* misdaad is, nietwaar?'

'Ik heb niets van dien aard verondersteld, meneer Wren.'

'Maar ze *werd* toch gewurgd, nietwaar? Ik vraag me af –' Hij stak zijn lange witte handen uit, 'wat voor gevoel 't zou zijn, als je iemand wurgt.'

'Maar, meneer Wren!'

Christopher kwam dichter naar haar toe, terwijl hij zijn stem liet dalen.

'Hebt u er weleens over gedacht, mevrouw Boyle, wat voor een gevoel het zou zijn gewurgd te worden?'

Mevrouw Boyle zei weer, nog meer verontwaardigd: 'Maar, meneer Wren!'

Molly las haastig hardop voor:

'De man met wie de politie graag een woordje zou willen spreken, droeg een donkere overjas en een lichte vilthoed. Hij was middelmatig lang en droeg een wollen das.'

'Eigenlijk,' zei Christopher Wren, 'zag hij er dus net als ieder ander uit.'

Hij lachte.

'Ja,' zei Molly. 'Net als ieder ander. . .'

2

In zijn kamer in Scotland Yard zei inspecteur Parminter tegen rechercheur Kane: 'Ik zal nu eerst met die twee werklui praten.'

'Ja, meneer.'

'Hoe zien ze er uit?'

'Fatsoenlijke werklieden. Reageren een beetje langzaam. Wel betrouwbaar.'

'Juist.' Inspecteur Parminter knikte.

Even later werden twee onthutst kijkende mannen, blijkbaar met hun beste kleren aan, in de kamer gelaten. Parminter nam hen met één oogopslag op. Hij wist precies hoe hij de mensen op hun gemak moest zetten.

'Dus u denkt dat u inlichtingen hebt, die ons van

nut zouden kunnen zijn in de Lyon-zaak,' zei hij. 'Aardig dat u bent gekomen. Gaat u zitten. Wilt u roken?'

Hij wachtte even, terwijl ze sigaretten namen en die opstaken.

''t Is maar slecht weer buiten.'

'Zegt u dat wel, meneer.'

'Nou, komaan – zegt u 't maar eens.'

De twee mannen keken elkaar aan, van hun stuk gebracht nu het op de moeilijkheid van het vertellen aankwam.

'Begin jij maar, Joe,' zei de grootste van de twee.

En Joe begon.

'Ziet u, 't ging zo, we hadden geen lucifers.'

'Waar was dat?'

'In de Jarman Street – we waren daar aan de weg bezig – aan de gasleiding.'

Inspecteur Parminter knikte. Straks zou hij tijd en plaats wel nauwkeuriger opnemen. Hij wist dat de Jarman Street vlak bij de Culver Street was, waar de tragedie had plaatsgevonden.

'Jullie hadden geen lucifers,' herhaalde hij aanmoedigend.

'Nee, mijn doosje was leeg en Billy's aansteker deed 't niet en dus zei ik tegen een vent die voorbij kwam: "Hebt u misschien een lucifertje voor ons, meneer?" zei ik. Ik dacht toen nog aan niets bijzonders, ik niet, toen niet. Hij liep zo maar voorbij – als zoveel anderen – en ik vroeg 't toevallig aan hem.'

Weer knikte Parminter.

'Nou, hij gaf ons een lucifertje, dat deed hij. Zei niets. "Akelig koud," zei Bill tegen hem en hij antwoordde alleen maar op een fluistertoon: "Ja, dat is 't." Heeft zeker kou gevat, dacht ik. Hij was tenminste helemaal ingebakerd. "Dank u, meneer," zeg ik en geef hem zijn lucifers terug en hij loopt vlug door, zo vlug, dat toen ik zag dat hij iets had laten vallen, we hem al haast niet meer konden terugroepen. 't

Was een klein opschrijfboekje, dat hij uit zijn zak moet hebben meegetrokken, toen hij de lucifers eruit haalde. “Hé, meneer!” riep ik hem na. “u hebt iets laten vallen.” Maar hij scheen ’t niet te horen – hij ging alleen maar harder lopen en schoot de hoek om, was ’t zo niet, Bill?’

‘Zo was ’t,’ beaamde Bill. ‘Als een opgejaagd konijn.’

‘Hij ging de Harrow Road in en ’t zag er niet naar uit dat we hem daar konden inhalen, zeker niet toen hij zo hard liep, en in elk geval was ’t toen al een beetje te laat – ’t was maar een klein boekje, geen portefeuille of zoiets –’t was misschien niet belangrijk. “Een rare snuiter,” zei ik. “Zijn hoed over zijn ogen getrokken en helemaal ingebakerd – net als een bandiet in de film,” zei ik tegen Bill, zei ik dat niet, Bill?’

‘Dat heb je gezegd,’ beaamde Bill.

‘Wel gek dat ik dat heb gezegd, al heb ik er toen verder niets bij gedacht. Die heeft erge haast om thuis te komen, dat heb ik gedacht, en ik kon ’t hem niet kwalijk nemen. ’t Was nogal niet koud!’

‘En of,’ beaamde Bill.

‘Dus zei ik tegen Bill: “Laten we dat boekje eens bekijken en zien of ’t belangrijk is.” Nou, meneer, ik bekeek ’t dus. “Alleen maar een paar adressen,” zei ik tegen Bill. “Culver Street 74 en een of ander verdraaid herenhuis.” ’

‘Soort Ritz,’ zei Bill, afkeurend snuivend.

Nu Joe eenmaal op gang is, gaat hij met een soort welbehagen verder.

‘ “Culver Street 74,” zeg ik tegen Bill. “Dat is hier net om de hoek. Als we gaan schaften, zullen we ’t even afgeven – en toen zag ik iets dat bovenaan dwars over de bladzij was geschreven. “Wat is dat?” zeg ik tegen Bill. En hij nam ’t over en las ’t hardop. “Drie blinde muizen – die moet wel getikt zijn,” zegt hij – en net op dat ogenblik – ja, ’t was krek op dat ogenblik, meneer, horen we een of andere vrouw "Moord" gillen, een paar straten verder.'

Joe wachtte even bij deze kunstzinnige climax.

'Ze schreeuwde nogal niet, is 't niet?' hervatte hij. ' "Vooruit," zeg ik tegen Bill, "jij vlug erheen." En al gauw kwam hij terug en zei dat er een grote oploop was en dat de politie er was en dat een of andere vrouw de keel was afgesneden of dat ze was gewurgd en dat de kostjuffrouw haar had gevonden en om de politie geschreeuwd.

"Waar was 't?" zeg ik tegen hem. "In de Culver Street," zegt hij. "Welk nummer?" vraag ik en hij zei dat hij dat niet goed had gezien.'

Bill kuchte en schuifelde met zijn voeten met het schaapachtige uiterlijk van iemand die is te kort geschoten.

'Dus zeg ik: "We zullen even wegwippen, om 't te weten te komen", en toen we zagen dat 't No. 74 was, gingen we erover praten en Bill zegt: "Kan best zijn dat 't adres in 't opschrijfboekje er niets mee te maken heeft", en ik zeg dat 't best kan zijn van *wel*, en in elk geval zijn we, nadat we erover hadden gesproken en hadden gehoord dat de politie een man zocht die 't huis omstreeks die tijd had verlaten, nou, toen zijn we hierheen gekomen en hebben naar de meneer gevraagd die deze zaak behandelde, en ik hoop maar dat we uw tijd niet te veel in beslag hebben genomen.'

'U hebt heel juist gehandeld,' zei Parminter goedkeurend. 'Hebt u 't opschrijfboekje soms meegebracht? Dank u. Nu –'

Zijn vragen werden scherp en beroepsmatig. Hij vernam plaats, tijd en data – het enige wat hij niet te horen kreeg, was een beschrijving van de man die het opschrijfboekje had laten vallen. In plaats daarvan kreeg hij dezelfde beschrijving die hij al van een hysterische kostjuffrouw had gehad, de beschrijving van een hoed die over de ogen was getrokken, een tot boven toe dichtgeknoopte jas, een das om het onderste deel van het gezicht gewikkeld, een stem die alleen maar gefluister voortbracht, gehandschoende handen. . .

Toen de mannen weg waren, bleef hij op het boekje zitten neerkijken, dat open op zijn tafel lag. Straks zou het naar de betreffende afdeling gaan om te zien welk getuigenis, zo er al een was, het zou openbaren van de vingerafdrukken. Maar nu werd zijn aandacht getrokken door de twee adressen en door de klein geschreven regel bovenaan dwars over de pagina.

Hij draaide zijn hoofd om, toen rechercheur Kane de kamer binnenkwam.

'Kom eens hier, Kane, kijk hier eens naar.'

Kane ging achter hem staan en floot zachtjes tussen zijn tanden, toen hij hardop las:

'*Drie Blinde Muizen!* Wel verdraaid!'

'Ja.' Parminter trok een la open en haalde er een half velletje schrijfpapier uit, dat hij naast het opschrijfboekje op tafel legde. Dat was, zorgvuldig vastgestoken, op de vermoorde vrouw gevonden.

Er stond op geschreven:

Dit is de eerste. Er onder stond een kinderlijke tekening van drie muizen en een regel muziek.

Kane floot zachtjes het wijsje.

'Drie Blinde Muizen. . . Ziet ze rennen. . .'

'Ja, zo is 't. Dat is de herkenningsmelodie.'

'Idioot, vindt u niet, meneer?'

'Ja.' Parminter fronste het voorhoofd. 'Staat de identiteit van de vrouw helemaal vast?'

'Ja, meneer. Hier is 't rapport van de afdeling vingerafdrukken. Mevrouw Lyon, zoals ze zich noemde, was in werkelijkheid Maureen Gregg. Ze werd twee maanden geleden uit Holloway ontslagen na 't uitzitten van haar straf.'

Parminter zei nadenkend: 'Ze ging naar Culver Street 74, terwijl ze zichzelf Maureen Lyon noemde. Af en toe dronk ze en 't was bekend dat ze een paar maal een man mee naar huis heeft genomen. Ze legde geen vrees voor iets of iemand aan de dag. Er is geen reden om aan te nemen dat ze dacht dat ze in gevaar verkeerde. Deze man belde aan, vroeg naar haar en de kostjuffrouw heeft hem gezegd naar boven, naar de tweede verdieping, te gaan. Ze kan hem niet beschrijven, zegt alleen dat hij middelmatig groot was, heel erg verkouden scheen te zijn en zijn stem kwijt was. Ze is weer teruggegaan naar 't souterrain en heeft niets verdachts gehoord. Ze heeft de man niet horen weggaan. Een minuut of tien later bracht ze een kop thee aan haar 'huurster' en ontdekte dat deze was gewurgd. . .

Dit was geen toevallige moord, Kane. Die was zorgvuldig voorbereid.' Hij wachtte even en voegde er toen ineens aan toe: 'Ik vraag me af hoeveel huizen er in Engeland Monkswell Manor heten.'

'Misschien is 't er maar één, meneer.'

'Dat zou waarschijnlijk al te veel geluk zijn. Maar ga er maar mee verder. Er is geen tijd te verliezen.'

De blik van de rechercheur bleef nadenkend rusten op twee regels in het opschrijfboekje: Culver Street 74, Monkswell Manor.

Hij zei: 'Dus u denkt –'

Parminter zei snel:

'Ja. Denk je ook niet?'

''t Zou kunnen. Monkswell Manor – waar heb ik toch – weet u, meneer, ik zou erop kunnen zweren dat ik die naam nog pas geleden heb gezien.'

'Waar?'

'Dat probeer ik juist me te herinneren. . . Wacht eens Hotels en Pensions. . . Heel even, meneer – 't is een oude. Ik was bezig met de kruiswoordpuzzel.'

Hij snelde de kamer uit en kwam in triomf terug.

'Hier heb ik 't, meneer, kijkt u maar.'

De inspecteur volgde de wijzende vinger.

'Monkswell Manor, Harpleden, Berkshire.' Hij trok de telefoon naar zich toe.

'Geef me de Rijkspolitie van Berkshire.'

Hoofdstuk 3

1

Met de aankomst van majoor Metcalf verviel Monkswell Manor tot de routine van een lopend bedrijf. Majoor Metcalf was niet fors, zoals mevrouw Boyle, en ook niet excentriek, zoals Christopher Wren. Hij was een stevige man van middelbare leeftijd, een keurige militaire verschijning, die zijn meeste dienstjaren in India had doorgebracht. Hij bleek tevreden met zijn kamer en het meubilair, en hoewel hij en mevrouw Boyle geen gemeenschappelijke vrienden konden ontdekken, had hij neven van vrienden van haar gekend – 'de Yorkshire tak', daarginds in Poonah. Zijn bagage echter, twee zware varkensleren koffers, stelde zelfs Giles' wantrouwende natuur tevreden.

Om de waarheid te zeggen hadden Molly en Giles niet veel tijd om over hun gasten na te denken. Ze kookten samen het eten, dienden op, aten en wasten af, wat allemaal bevredigend verliep. Majoor Metcalf was vol lof over de koffie en Giles en Molly gingen naar bed, vermoeid maar triomferend – en werden weer gewekt om ongeveer twee uur in de morgen door een aanhoudend gebel.

'Verdraaid,' zei Giles. 'Dat is aan de voordeur. Wat ter wereld –'

'Schiet op,' zei Molly. 'Ga maar kijken.'

Terwijl hij haar een verwijtende blik toewierp, hulde Giles zich in zijn kamerjas en liep de trap af. Molly hoorde het terugschuiven van de grendels en daarna een gemurmel van stemmen in de hal. Al gauw kroop ze, door nieuwsgierigheid gedreven, uit bed en ging boven aan de trap staan gluren. Beneden in de hal hielp Giles een gebaarde vreemdeling uit een met sneeuw bedekte overjas. Stukjes van de conversatie drongen tot haar door.

'Brrrr', het was een uitbarsting met een buitenlands

accent. 'Mijn vingers zijn zo koud dat er geen gevoel meer in zit. En mijn voeten –' Ze kon een stampend geluid horen.

'Kom maar hier binnen.' Giles wierp de deur van de bibliotheek open. 'Hier is 't warm. U kunt beter even hier wachten, terwijl ik een kamer in orde maak.'

'Ik heb wel geboft,' zei de vreemdeling beleefd.

Molly gluurde nieuwsgierig langs de trapleuning. Ze zag een al wat oudere man met een korte zwarte baard en satanische wenkbrauwen. Een man, die met jeugdige, luchtige stappen liep, ondanks zijn grijzende slapen.

Giles deed de bibliotheekdeur achter hem dicht en kwam vlug naar boven. Molly rees op uit haar gehurkte houding.

'Wie is dat?' vroeg ze.

Giles grinnikte. 'Nog een gast voor 't pension. Zijn auto is over de kop gegaan in een sneeuwjacht. Hij is er zelf uitgekomen en is zo goed en zo kwaad als 't ging doorgelopen (er waait nog een loeiende sneeuwstorm, hoor maar) langs de weg, toen hij ons naambord zag. Hij zei dat 't als in antwoord op een gebed kwam.'

'Denk je dat hij – te vertrouwen is?'

'Lieveling, dit is geen nacht voor een inbreker om op pad te zijn.'

'Het is zeker een buitenlander?'

'Ja. Zijn naam is Paravicini. Ik zag dat zijn portefeuille – ik geloof wel dat hij die met opzet liet zien – gewoonweg volgepropt zat met bankbiljetten. Welke kamer zullen we hem geven?'

'De groene kamer. Die is netjes en op orde. Alleen moeten we 't bed opmaken.'

'Ik denk wel dat ik hem een pyjama zal moeten lenen. Al zijn spullen zitten in de auto. Hij zei dat hij door 't raam eruit had moeten klimmen.'

Molly haalde lakens, kussenslopen en handdoeken. Terwijl ze haastig het bed opmaakten, zei Giles:

''t Sneeuwt nu met dikke vlokken. We zullen helemaal ingesneeuwd raken, Molly, helemaal afgesloten van de buitenwereld. In zeker opzicht wel opwindend, vind je niet?'

'Ik weet 't niet,' zei Molly weifelend. 'Denk je dat ik sodabrood kan maken, Giles?'

'Natuurlijk kun je dat. Jij kunt alles,' zei haar trouwe echtgenoot.

'Ik heb nooit geprobeerd brood te bakken. Dat is iets dat je als vanzelfsprekend beschouwt. 't Kan oudbakken zijn of vers, maar 't is alleen iets dat de bakker brengt. Maar als we ingesneeuwd zitten, zal er geen bakker komen.'

'Noch een slager of een brievenbesteller. Geen kranten. En waarschijnlijk geen telefoonverbinding.'

'Alleen maar de radio om ons te zeggen wat we moeten doen?'

'In elk geval hebben we ons eigen elektrische licht.'

'Je moet morgen de motor weer laten draaien. En we moeten de centrale verwarming goed opstoken.'

'Ik denk dat onze volgende lading cokes niet zal komen. We hebben niet veel meer.'

'Hè, wat vervelend. Giles, ik voel dat er een afschuwelijke tijd ophanden is. Schiet op en haal Para-hoe-heet-hij ook-weer. Ik wil weer naar bed.'

De morgen bracht de bevestiging van Giles' vermoedens. De sneeuw lag anderhalve meter hoog tegen de ramen en deuren opgewaaid. Buiten sneeuwde het nog steeds. De wereld was wit, stil en – op een bijna onmerkbare wijze – dreigend. . .

2

Mevrouw Boyle zat aan het ontbijt. Er was niemand anders in de eetkamer. Van het aangrenzende tafeltje was majoor Metcalfs ontbijtboel al weggeruimd. Meneer Wrens tafeltje stond nog gedekt. Vermoedelijk was de een gewend vroeg op te staan en de ander laat. Mevrouw Boyle wist voor zichzelf zeker dat er maar één behoorlijk uur van ontbijten was en dat was negen uur.

Mevrouw Boyle had haar heerlijke omelet op en knabbelde met haar sterke witte tanden toast. Ze was in een misnoegde en besluiteloze bui. Monkswell Manor was helemaal niet zoals ze het zich had voorgesteld. Ze had gehoopt dat ze zou kunnen bridgen, dat er kwijnende oude vrijsters zouden zijn, die ze kon imponeren door haar sociale positie en connecties, en tegen wie ze toespelingen kon maken over haar gewichtige geheime oorlogswerk.

Mevrouw Boyle voelde zich aan het eind van de oorlog alsof ze op een verlaten kuststrook aan haar lot was overgelaten. Ze was altijd een bedrijvige vrouw geweest, die gemakkelijk over efficiency en organisatie sprak. Haar kracht en energie hadden de mensen weerhouden te vragen of ze werkelijk een goed en efficiënt organisatrice was. Het oorlogswerk was haar lust en haar leven geweest. Ze had de baas gespeeld en de mensen getiranniseerd en de hoofden van de afdelingen tot wanhoop gebracht en – ere wie ere toekomt – zichzelf geen moment gespaard. Haar ondergeschikt vrouwelijk personeel had van het een naar het ander gerend, bang voor het minste teken van afkeuring. En nu was dat hele opwindende en jachtige leven voorbij. Ze was weer terug in haar particuliere burgerleven en haar vroegere particuliere leven was vervlogen. Haar huis, dat door het leger gevorderd was geweest, moest hoognodig hersteld en geschilderd worden voor ze erin kon terugkeren, en de moeilijkheden met huishoudelijk personeel maakten een terugkeer toch ook onmogelijk. Haar vrienden waren grotendeels her en der verspreid. Over een poosje zou ze heus wel een pied-à-terre vinden, maar op het ogenblik was het een kwestie van het uitzingen. Een hotel of pension leek de oplossing. En ze had verkozen naar Monkswell Manor te komen.

Ze keek misprijzend om zich heen.

'Hoogst oneerlijk,' zei ze bij zichzelf, 'niet te zeggen

dat ze nog maar net begonnen waren.'

Ze schoof haar bord verder van zich af. Het feit dat haar ontbijt prima was klaargemaakt en opgediend, met lekkere koffie en eigengemaakte marmelade, bracht haar, eigenaardig genoeg, nog meer uit haar humeur. Het had haar een gegronde reden tot klagen ontnomen. Haar bed was ook heel comfortabel, met geborduurde lakens en een zacht kussen. Mevrouw Boyle was op comfort gesteld, maar had ook graag iets aan te merken. Tot dit laatste had ze misschien wel de meeste neiging.

Zich statig verheffend van haar stoel, verliet mevrouw Boyle de eetkamer, terwijl ze in de deuropening die zeer eigenaardige jongeman met het rode haar passeerde. Hij droeg vanmorgen een geruite das van een gifgroene kleur – een wollen das.

'Belachelijk,' zei mevrouw Boyle in zichzelf. 'Volkomen belachelijk.'

De manier waarop hij haar van terzijde aankeek met die lichte ogen van hem beviel haar ook niet. Er was iets verwarrends – ongewoons – in die lichtelijk spottende blik.

'Geestelijk gestoord, zou me niets verbazen,' zei mevrouw Boyle in zichzelf.

Ze beantwoordde zijn zwierige buiging met een lichte nijging van haar hoofd en liep de grote zitkamer in. Het waren lekkere stoelen hier, vooral de grote rose gekleurde. Ze kon maar beter duidelijk maken dat ze die als *haar* stoel beschouwde. Ze legde haar breiwerk erin, bij wijze van voorzorg, liep naar de radiatoren en legde haar handen erop. Zoals ze had verwacht, waren ze slechts warm, niet heet. Mevrouw Boyle kreeg een strijdlustige blik in haar ogen. *Daarover* zou ze iets kunnen zeggen.

Ze keek uit het raam.

Vreselijk weer – gewoon bar. Nu, ze zou hier niet lang blijven – tenzij er meer mensen kwamen, die het gezellig maakten.

Er gleed wat sneeuw van het dak met een zacht suizend geluid. Mevrouw Boyle schrok op.

'Nee,' zei ze hardop. 'Ik zal hier niet lang blijven.'

Iemand lachte – een zwak, hoog gegiechel. Ze wendde met een ruk het hoofd om. De jonge Wren stond in de deur met die eigenaardige uitdrukking van hem naar haar te kijken.

'Nee,' zei hij. 'Dat geloof ik ook niet.'

3

Majoor Metcalf was Giles aan het helpen om de sneeuw van de achterdeur weg te ruimen. Hij werkte flink door en Giles was heel uitbundig in zijn uitingen van dankbaarheid.

'Goede oefening,' zei majoor Metcalf. 'Ik moet elke dag beweging hebben. Ik moet fit blijven, weet u.'

Dus de majoor was een voorstander van lichaamsbeweging. Daar was Giles al bang voor geweest. Het klopte met zijn verzoek om om half acht te ontbijten.

Alsof hij Giles' gedachten las, zei de majoor:

''t Was heel aardig van uw vrouwtje zo vroeg het ontbijt voor me klaar te maken. En ook lekker om een vers ei te krijgen.'

Giles was vóór zeven uur opgestaan, gebonden door de noodzakelijke plichten van een pensionhouder. Hij en Molly hadden eieren gekookt en thee gezet en waren in de zitkamers aan de gang gegaan. Alles was in de puntjes. Giles kon niet nalaten te bedenken dat, als hij een gast in zijn eigen huis was geweest, niets hem uit bed had gekregen op een morgen als deze dan pas op het allerlaatste moment.

De majoor echter was opgestaan en had ontbeten en door het huis geslenterd, blijkbaar vol energie, die een uitweg zocht.

'Nou,' dacht Giles, 'er is genoeg sneeuw te ruimen.'

Hij wierp een zijdelingse blik op zijn metgezel. Eigenlijk geen gemakkelijk te plaatsen man. Een doorbijter, een eind over de middelbare leeftijd, met iets wonderlijk waakzaams in zijn ogen. Een man die niets losliet. Giles vroeg zich af waarom hij naar Monkswell Manor zou zijn gekomen. Gedemobiliseerd waarschijnlijk, en niets omhanden...

4

Meneer Paravicini kwam laat beneden. Hij nam koffie en een sneetje toast – een sober continentaal ontbijt.

Hij bracht Molly een beetje van de wijs door, toen ze het hem bracht, op te staan, op een overdreven manier te buigen en uit te roepen:

'U bent mijn lieftallige gastvrouw? Dat heb ik toch goed, is 't niet?'

Molly gaf een beetje kortaf toe dat hij het goed had. Ze was op dit uur niet in de stemming voor complimentjes.

'En waarom,' zei ze, toen ze het aardewerk roekeloos opstapelde in de gootsteen, 'iedereen zijn ontbijt nu op een andere tijd moet hebben – dat is toch wel een beetje lastig.'

Ze zette haastig de borden in het rek en rende naar boven om de bedden in orde te maken. Ze kon van Giles deze morgen geen hulp verwachten. Hij moest de weg vrijmaken naar het ketelhuis en het kippenhok.

Molly maakte de bedden met grote spoed en, zoals ze moest toegeven, heel slordig op, waarbij ze, zo snel ze kon, de lakens gladstreek en rechttrok.

Ze was met de badkamer bezig, toen de telefoon ging.

Eerst vloekte Molly inwendig omdat ze haar werk moest onderbreken, maar voelde toen, terwijl ze naar beneden liep om hem op te nemen, weer een beetje opluchting, omdat de telefoon tenminste nog intact was.

Ze kwam een beetje ademloos in de bibliotheek en nam de hoorn op.

'Ja?'

Een flinke stem met een licht maar aangenaam accent vroeg:

'Met Monkswell Manor?'

'Pension Monkswell Manor.'

'Mag ik commandant Davis spreken, alstublieft?'

'Het spijt me, maar hij kan op 't ogenblik niet aan de telefoon komen,' zei Molly. 'U spreekt met mevrouw Davis. Met wie spreek ik?'

'Hoofdinspecteur Hogben van de Berkshire politie.'

Molly hapte even naar adem. Ze zei:

'O, ja – eh – ja?'

'Mevrouw Davis, er is iets tamelijks dringends aan de hand. Ik wil liever niet veel door de telefoon zeggen, maar ik heb rechercheur Trotter naar u toegestuurd en hij kan elk ogenblik bij u zijn.'

'Maar hij zal hier niet kunnen komen. We zitten ingesneeuwd – helemaal ingesneeuwd. De wegen zijn onbegaanbaar.'

De stem aan de andere kant bleef vol vertrouwen.

'Trotter zal toch wel bij u komen,' zei de stem. 'En wilt u uw man, meneer Davis, op 't hart drukken, zorgvuldig te luisteren naar wat Trotter u te vertellen heeft en zijn instructies onvoorwaardelijk op te volgen? Anders niets.'

'Maar, hoofdinspecteur Hogben, wat –'

Maar het gesprek werd met een klik afgebroken. Hogben had klaarblijkelijk alles gezegd wat hij te zeggen had en de hoorn neergelegd. Molly schudde het telefoontoestel een paar maal heen en weer en gaf het toen op. Ze draaide zich om toen de deur openging.

'O, Giles, lieveling, gelukkig dat je er bent.'

Giles had sneeuw in zijn haar en een hoop zwart van de kolen in zijn gezicht. Hij zag er verhit uit.

'Wat is er, liefste? Ik heb de kolenbakken gevuld en 't hout binnengebracht. Nu zal ik de kippen verzorgen en dan naar de verwarmingsketel kijken. Is dat goed? Wat is er, Molly? Je ziet er verschrikt uit.'

'Giles, dat was de *politie*.'

'De politie?' Giles' stem klonk ongelovig.

'Ja, ze sturen een inspecteur of een rechercheur of zoiets.'

'Maar waarom? Wat hebben we gedaan?'

'Ik weet 't niet. Denk je dat 't om die twee pond boter gaat, die we uit Ierland hebben gehad?'

Giles fronste het voorhoofd.

'Ik heb er toch aan gedacht de radiovergunning te halen, niet?'

'Ja, die ligt in 't bureau. Giles, de oude mevrouw Bidlock heeft me vijf textielbonnen gegeven voor die oude tweed mantel van me. Ik denk dat dat niet mag – maar *ik* vind 't volkomen eerlijk. Ik heb een jas minder, dus waarom zou ik dan de bonnen niet krijgen? O hemel, wat hebben we anders gedaan?'

'Ik heb laatst bijna een aanrijding met de auto gehad. . . Maar 't was beslist de schuld van die andere kerel. Beslist.'

'We moeten toch *iets* hebben gedaan,' jammerde Molly.

'De moeilijkheid is dat tegenwoordig haast alles wat je doet onwettig is,' zei Giles somber. 'Daarom heb je steeds een schuldig gevoel. Ik denk eigenlijk dat 't iets te maken heeft met 't drijven van de zaak hier. Pension houden zit waarschijnlijk vol met knepen waarvan we nooit hebben gehoord.'

'Ik dacht dat drank 't enige was waar 't op aankwam. We hebben niemand iets te drinken gegeven. Overigens, waarom zouden we onze eigen zaak niet mogen drijven zoals we dat zelf willen?'

'Ik weet 't. 't Klinkt allemaal goed. Maar, zoals ik al zeg, alles is min of meer verboden vandaag de dag.'

'O, hemel,' zuchtte Molly. 'Ik wou dat we er nooit aan waren begonnen. We zullen dagenlang ingesneeuwd zitten en iedereen zal uit zijn humeur raken en ze zullen onze hele voorraad blikken opeten –'

'Niet zo somber, liefste,' zei Giles. 'We hebben nu pech, maar 't zal wel op zijn pootjes terechtkomen.'

Hij kuste haar nogal afwezig op de kruin van haar hoofd en zei, terwijl hij haar losliet, op heel andere toon:

'Luister eens, Molly, nu ik erover nadenk, moet 't wel iets vrij ernstigs zijn, dat ze er onder deze omstandigheden een rechercheur op uit laten trekken hierheen.'

Hij maakte een beweging met zijn hand naar de sneeuw buiten. Hij zei:

''t Moet werkelijk wel iets *dringends* zijn –'

Terwijl ze elkaar nog stonden aan te kijken, ging de deur open en kwam mevrouw Boyle binnen.

'O, bent u daar, meneer Davis,' zei mevrouw Boyle. 'Weet u dat de centrale verwarming in de zitkamer bijna steenkoud is?'

''t Spijt me, mevrouw Boyle. We hebben niet veel cokes meer en –'

Mevrouw Boyle viel hem meedogenloos in de rede.

'Ik betaal hier vijfenzeventig gulden per week – *vijfenzeventig* gulden. En dan verwacht ik niet dat ik zal bevriezen.'

Giles bloosde. Hij zei kortaf:

'Ik zal hem gaan opstoken.'

Hij ging de kamer uit en mevrouw Boyle wendde zich tot Molly.

'U moet me maar niet kwalijk nemen dat ik 't zeg, mevrouw Davis, maar u hebt hier wel een zeer eigenaardige jongeman te logeren. Zijn manieren – en zijn dassen – en borstelt hij zijn haar nooit?'

'Hij is een buitengewoon kundig architect,' zei Molly.

'Wat zegt u?'

'Christopher Wren is architect en –'

'Jongedame,' snauwde mevrouw Boyle, 'natuurlijk heb ik gehoord van Sir Christopher Wren. Natuurlijk was hij architect. Hij heeft de St. Paul's kathedraal gebouwd. Jullie jonge mensen schijnen te denken dat je met de Onderwijswet meteen de ontwikkeling hebt gekregen.'

'Ik bedoelde *deze* Wren. Zijn voornaam is Christopher. Zijn ouders noemden hem zo, omdat ze hoopten dat hij architect zou worden. En dat is hij – of bijna –, dus dat is wel uitgekomen.' –

'Hmm,' snoof mevrouw Boyle. ''t Lijkt me een verdacht verhaaltje. Ik zou maar eens wat inlichtingen over hem inwinnen, als ik u was. Wat weet u van hem af?'

'Net zoveel als ik van u weet, mevrouw Boyle – en dat is, dat hij zowel als u ons vijfenzeventig gulden per week betaalt. Dat is eigenlijk wel alles wat ik behoef te weten, nietwaar? En alles wat me aangaat. 't Maakt niets uit of ik mijn gasten aardig vind of', Molly keek mevrouw Boyle strak aan, '– of dat ik dat niet doe.'

Mevrouw Boyle werd rood van kwaadheid.

'U bent jong en onervaren en u zou dankbaar moeten zijn voor de raad van iemand die meer ervaring heeft dan u. En wat is dat voor een rare vreemdeling? Wanneer is *hij* gekomen?'

'Midden in de nacht.'

'Toe maar. Hoogst eigenaardig. Geen erg behoorlijke tijd.'

'Om bona fide reizigers weg te sturen zou tegen de wet zijn, mevrouw Boyle.' En Molly voegde er liefjes aan toe: 'Misschien weet u dat zo niet.'

'Ik kan alleen maar zeggen dat 't me toch voorkomt dat die Paravicini of hoe hij zichzelf ook noemt –'

'Pas op, pas op, waarde dame. Als u van de duivel spreekt, dan –'

Mevrouw Boyle sprong op, alsof het inderdaad de duivel was die tegen haar had gesproken. Meneer Paravicini, die rustig binnengetrippeld was, zonder dat een van de vrouwen hem had opgemerkt, lachte en wreef in zijn handen met een soort duivels leedvermaak.

'U deed me schrikken,' zei mevrouw Boyle. 'Ik had u niet horen binnenkomen.'

'Ik kom op mijn tenen binnen, zo,' zei meneer Paravicini. 'Niemand hoort me ooit komen of gaan. Dat vind ik erg leuk. Soms luister ik dingen af. Dat vind ik ook leuk.' Hij voegde er zachtjes aan toe: 'Maar ik vergeet niet wat ik hoor.'

Mevrouw Boyle zei zwakjes: 'Werkelijk? Ik moet mijn breiwerk eens halen – ik heb 't in de zitkamer laten liggen.'

Ze ging haastig weg. Molly stond onderzoekend naar meneer Paravicini te kijken.

Hij kwam met een soort sprongstap naar haar toe.

'Mijn lieftallige gastvrouw ziet er bezorgd uit.' Voordat ze het kon verhinderen, had hij haar hand gepakt en die gekust. 'Wat is er, lieve dame?'

Molly deed een stap achteruit. Ze was er niet zeker van of ze meneer Paravicini erg aardig vond. Hij stond naar haar te gluren als een oude sater.

'Alles is nogal moeilijk vanmorgen,' zei ze luchtig. 'Vanwege de sneeuw.'

'Ja.' Meneer Paravicini draaide zijn hoofd om en keek uit het raam. 'Sneeuw maakt alles erg moeilijk, nietwaar? Of anders gezegd, 't maakt de dingen erg gemakkelijk.'

'Ik begrijp niet wat u bedoelt.'

'Nee,' zei hij nadenkend. 'Er is een heleboel dat u niet weet. Ik denk, om maar iets te noemen, dat u niet goed weet op welke manier u een pension moet beheren.'

Molly stak haar kin strijdlustig naar voren.

'Dat doen we zeker niet. Maar we zijn van plan er een succes van te maken.'

'Bravo, bravo.'

'Tenslotte,' Molly's stem verried en beetje ongerustheid, 'ben ik niet zo'n heel slecht kookster. . .'

'U bent zonder twijfel een bekoorlijk kookster,' zei meneer Paravicini.

Wat waren vreemdelingen vervelend, dacht Molly. Misschien las meneer Paravicini haar gedachten. In elk geval veranderde zijn houding. Hij sprak rustig en heel ernstig.

'Mag ik u een kleine waarschuwing geven, mevrouw Davis? U en uw man moeten niet al te goed van vertrouwen zijn, ziet u. Hebt u inlichtingen ingewonnen over die 'gasten' van u?'

'Is dat gebruikelijk?' Molly keek bezorgd. 'Ik dacht dat de mensen alleen maar – alleen maar kwamen.'

''t Is aan te bevelen altijd wat te weten van de mensen die onder je dak slapen.' Hij boog naar voren en klopte haar op een soort dreigende manier op haar schouder. 'Neem mijzelf, bij voorbeeld. Ik zeg dat mijn auto over de kop is gegaan in een sneeuwjacht. Wat weet u van me? Helemaal niets. Misschien weet u ook niets van uw andere gasten.'

'Mevrouw Boyle,' begon Molly – maar hield op, toen de dame in kwestie het vertrek weer binnenkwam met haar breiwerk in de hand.

'De salon is te koud. Ik zal hier gaan zitten.' Ze liep naar de open haard.

Meneer Paravicini danste snel voor haar uit.

'Laat mij 't vuur voor u oppoken.'

Molly werd weer getroffen, net als de nacht tevoren, door het jeugdige elan van zijn loop. Ze had opgemerkt dat hij er steeds voor scheen te zorgen dat hij met zijn rug naar het licht stond, en nu, terwijl hij neerknielde om het vuur op te poken, zag ze de reden hiervan. Meneer Paravicini's gezicht was knap, maar onmiskenbaar 'opgemaakt'.

Dus die oude idioot probeerde er jonger uit te zien dan hij was? Nu, dat was hem dan niet gelukt. Hij zag er naar zijn leeftijd uit en nog wel ouder. Alleen de jeugdige loop was ermee in strijd. Of werd die ook zorgvuldig nagedaan?

Ze werd van haar overpeinzing tot de onaangename werkelijkheid teruggevoerd door het vlugge binnenkomen van majoor Metcalf.

'Mevrouw Davis. Ik ben bang dat de pijpen van de –eh –' hij liet zijn stem bescheiden wat dalen, 'garderobe beneden bevroren zijn.'

'O, hemel,' kreunde Molly. 'Wat een vreselijke dag. Eerst de politie en nu de pijpen.'

Meneer Paravicini liet de pook kletterend in de haard vallen. Mevrouw Boyle hield op met breien.

Molly, die naar majoor Metcalf keek, was verbijsterd door zijn plotselinge stijve onbeweeglijkheid en de onbeschrijfelijke uitdrukking op zijn gezicht. Het was een uitdrukking die ze niet kon thuisbrengen. Het was of alle emotie eruit was weggetrokken, terwijl er iets als uit hout gesneden achterbleef.

Hij zei op kort afgebeten toon:

'*Politie,* zei u?'

Ze was zich ervan bewust dat onder de stijve onbeweeglijkheid van zijn houding een of andere heftige emotie aan het werk was. Het kon vrees zijn of waakzaamheid of opwinding – maar er was *iets.* Deze man, zei ze bij zichzelf, kon weleens *gevaarlijk* zijn.

Hij zei weer, en ditmaal klonk zijn stem alleen maar lichtelijk nieuwsgierig:

'Wat zei u over de politie?'

'Ze hebben opgebeld,' zei Molly. 'Zo pas. Om te zeggen dat ze een rechercheur hierheen zouden sturen.' Ze keek uit het raam.

'Maar ik geloof niet dat hij hier ooit zal komen,' zei ze hoopvol.

'Waarom zenden ze de politie hierheen?' Hij deed een stap naar haar toe, maar voor ze kon antwoorden, ging de deur open en kwam Giles binnen.

'Die verwenste cokes bestaat voor meer dan de helft uit stenen,' zei hij boos.

Toen voegde hij er scherp aan toe:

'Is er iets aan de hand?'

Majoor Metcalf wendde zich tot hem.

'Ik hoor dat de politie hierheen komt,' zei hij. 'Waarom?'

'O, dat komt wel in orde,' zei Giles. 'Niemand kan er ooit doorkomen in dit weer. Kom toch, de sneeuwhopen zijn wel anderhalve meter hoog. De weg is helemaal ondergesneeuwd. Niemand zal hier vandaag komen.'

En op dat ogenblik klonken er duidelijk drie luide kloppen op het raam.

Hoofdstuk 4

1

Ze schrokken er allemaal van. Gedurende enkele ogenblikken wisten ze niet waar het geluid vandaan kwam. Het klonk met zo'n nadruk en zo dreigend als de waarschuwing van een geest. En toen wees Molly, met een kreet, naar de openslaande deuren. Een man stond daar op de ruit te kloppen en het geheim van zijn komst werd verklaard door het feit dat hij op ski's stond.

Met een uitroep liep Giles de kamer door, morrelde wat aan de spanjolet en opende de deur.

'Dank u, meneer,' zei de nieuwaangekomene. Hij had een ietwat platte, opgewekte stem en een erg gebruind gezicht.

'Rechercheur Trotter,' stelde hij zichzelf voor.

Mevrouw Boyle staarde hem over haar breiwerk heen misnoegd aan.

'U kunt nog geen rechercheur zijn,' zei ze afkeurend. 'U bent te jong.'

De jongeman, die inderdaad erg jong was, leek beledigd door deze kritiek en zei op licht geërgerde toon:

'Ik ben niet zo jong als ik er uitzie, mevrouw.'

Zijn ogen zwierven over de groep en bleven op Giles rusten.

'Bent u meneer Davis? Kan ik deze ski's afdoen en ze ergens opbergen?'

'Natuurlijk, komt u maar mee.'

Mevrouw Boyle zei op zure toon, toen de deur naar de hal achter hem dichtviel:

'Het schijnt dat we tegenwoordig onze politiemacht betalen om hen te laten rondtrekken en zich met wintersport te amuseren.'

Paravicini was dicht bij Molly komen staan. Zijn stem klonk sissend toen hij vlug en zacht sprekend zei:

'Waarom hebt u de politie laten komen, mevrouw Davis?'

Ze deinsde een beetje terug voor de kwaadaardigheid van zijn blik. Dit was een nieuwe meneer Paravicini. Ze voelde zich even bang. Ze zei hulpeloos:

'Maar dat heb ik niet gedaan. Ik heb 't niet gedaan.'

En toen kwam Christopher Wren opgewonden de deur binnen en zei op een hoge, doordringende fluistertoon:

'Wie is die man in de hal? Waar is hij vandaan gekomen? Zo'n bonk en helemaal met sneeuw bedekt.'

De stem van mevrouw Boyle klonk boven het geklik van haar breinaalden uit.

'U kunt 't geloven of niet, maar die man is een politieman. Een politieman die skiet.'

Het leek alsof ze met haar houding wilde zeggen dat tenslotte de doorbraak der lagere klassen was gekomen.

Majoor Metcalf mompelde tegen Molly:

'Neem me niet kwalijk, mevrouw Davis, maar zou ik uw telefoon mogen gebruiken?'

'Natuurlijk, majoor Metcalf.'

Hij liep naar het toestel, net toen Christopher Wren op schrille toon zei:

'Hij is erg knap om te zien, vindt u niet? Ik vind altijd dat politiemannen er erg aantrekkelijk uitzien.'

'Hallo, hallo –' Majoor Metcalf rammelde geërgerd aan de telefoon. Hij draaide zich om naar Molly.

'Mevrouw Davis, deze telefoon werkt niet, absoluut niet.'

'Daarnet was hij nog in orde. Ik –'

Ze werd in de rede gevallen. Christopher Wren stond te lachen, met een hoge schrille, bijna hysterische lach.

'Dus nu zijn we afgesneden. Helemaal afgesneden. Grappig, hè?'

'Ik zie niet in dat 't iets om te lachen is,' zei majoor Metcalf stijfjes.

'Nee, zeker niet,' zei mevrouw Boyle.

Christopher stond nog te schudden van het lachen.

'Ik heb een binnenpretje,' zei hij. 'Sst', hij legde een vinger op zijn lippen. 'De speurhond komt.'

Giles kwam binnen met rechercheur Trotter. De laatste had zijn ski's afgedaan en de sneeuw afgeborsteld en hield een groot opschrijfboek en een potlood in zijn hand. Hij bracht de rustige sfeer verbonden aan een rechtszaal met zich mee.

'Molly,' zei Giles, 'rechercheur Trotter wil ons graag alleen spreken.'

Molly volgde hen beiden de kamer uit.

'We zullen naar de studeerkamer gaan,' zei Giles.

Ze gingen naar de kleine kamer achter in de hal die met die naam werd aangeduid. Rechercheur Trotter sloot de deur zorgvuldig achter zich.

'Wat hebben we gedaan?' vroeg Molly klaaglijk.

'Gedaan?' Rechercheur Trotter keek haar verbaasd aan. Toen lachte hij breeduit.

'O', zei hij. 'Zoiets is 't niet, mevrouw. 't Spijt me, als er enig misverstand is ontstaan. Nee, mevrouw Davis, 't is heel iets anders. 't Is meer een zaak van politiebescherming, als u me begrijpt.'

Daar ze er niets van begrepen, keken ze hem allebei vragend aan.

Rechercheur Trotter ging vlot door:

''t Staat in verband met de dood van mevrouw Lyon, mevrouw Maureen Lyon, die twee dagen geleden in Londen werd vermoord. U hebt misschien wel over dat geval gelezen.'

'Ja,' zei Molly.

''t Eerste wat ik wens te weten is of u bekend was met deze mevrouw Lyon?'

'Nooit van haar gehoord,' zei Giles, en Molly mompelde instemmend.

'Nu, dat is wel ongeveer wat we hadden verwacht. Maar feitelijk was Lyon niet de werkelijke naam van de vermoorde vrouw. Ze had een strafregister en haar vingerafdrukken waren geregistreerd, zodat we in staat waren haar zonder enige moeite te identificeren. Haar werkelijke naam was Gregg, Maureen Gregg. Haar overleden echtgenoot, John Gregg, was een boer, die op Longridge Farm heeft gewoond, niet heel ver van hier. U hebt misschien wel gehoord van de zaak van Longridge Farm.'

Het was heel stil in de kamer. Slechts één geluid verbrak de stilte, een zachte onverwachte plof, toen er sneeuw van het dak gleed, die buiten op de grond viel. Het was een geheimzinnig, haast griezelig geluid.

Trotter ging voort:

'Drie geëvacueerde kinderen waren ingekwartierd bij de Greggs op Longridge Farm in 1940. Een van deze kinderen stierf later als gevolg van misdadige verwaarlozing en slechte behandeling. 't Geval verwekte veel opschudding en de Greggs werden beiden veroordeeld tot gevangenisstraf. Gregg ontsnapte op weg naar de gevangenis, stal een auto en verongelukte toen hij aan de politie trachtte te ontkomen. Hij was meteen dood. Mevrouw Gregg zat haar straf uit en werd twee maanden geleden vrijgelaten.'

'En nu is ze vermoord,' zei Giles. 'Wie denken ze dat 't gedaan heeft?'

Maar rechercheur Trotter liet zich niet haasten.

'Herinnert u zich de zaak, meneer?' vroeg hij.

Giles schudde het hoofd.

'In 1940 diende ik als adelborst in de Middellandse Zee.'

Trotter wendde zijn blik naar Molly.

'Ik – ik geloof wel dat ik me er iets van herinner,' zei Molly hakkelend. 'Maar waarom komt u bij ons? Wat hebben wij ermee te maken?'

'Het gaat erom dat u in gevaar verkeert, mevrouw Davis.'

'Gevaar?' Giles sprak op ongelovige toon.

''t Zit zo, meneer. Er werd een opschrijfboekje gevonden vlak bij 't toneel van de misdaad. Er waren twee adressen in geschreven. 't Eerste was Culver Street 74.'

'Waar de vrouw werd vermoord?' viel Molly in.

'Ja, mevrouw Davis. 't Andere adres was Monkswell Manor.'

'Wat?' Molly's stem klonk ongelovig. 'Maar wat merkwaardig.'

'Ja. Daarom vond hoofdinspecteur Hogben 't geraden uit te zoeken of u iets wist van enige connectie tussen u of dit huis en de zaak van Longridge Farm.'

'Er bestaat niets – absoluut niets,' zei Giles. 'Dat moet bepaald een toeval zijn.'

Rechercheur Trotter zei vriendelijk: 'Hoofdinspecteur Hogben denkt niet dat 't een toeval is. Hij zou zelf zijn gekomen, als 't maar enigszins mogelijk was geweest. Onder deze weersomstandigheden en omdat ik een ski-expert ben, heeft hij mij gezonden met 't bevel alle bijzonderheden te weten te komen van iedereen in dit huis, hem per telefoon rapport uit te brengen en alle maatregelen te nemen die ik raadzaam oordeel voor de veiligheid van het huis en zijn bewoners.'

Giles zei scherp: 'Veiligheid? Allemachtig, man, u denkt toch niet dat er *hier* iemand vermoord zal worden?'

Trotter zei verontschuldigend:

'Ik wilde uw vrouw niet verontrusten, maar ja, dat is precies wat hoofdinspecteur Hogben denkt.'

'Maar wat zou er in 's hemelsnaam voor reden kunnen zijn –'

Giles zweeg, en Trotter zei:

'Ik ben juist hier om dat uit te zoeken.'

'Maar de hele zaak is *krankzinnig*.'

'Ja, meneer. Maar omdat 't krankzinnig is, is 't juist gevaarlijk.'

Molly zei:

'Er is nog meer dat u ons nog niet verteld hebt, nietwaar, rechercheur?'

'Ja, mevrouw. Boven aan de bladzij in 't opschrijfboekje stond geschreven "Drie Blinde Muizen". Op 't lichaam van de dode vrouw was een papiertje geprikt waarop stond *Dit is de eerste.* En eronder een tekening van *drie muizen* en een notenbalk. De muziek was 't wijsje van 't kinderrijmpje, "Drie Blinde Muizen." '

Molly zong zachtjes:

'Drie Blinde Muizen
Ziet hoe ze rennen
Ze renden achter de boer z'n wijf
Die –'

Ze zweeg.

'O, 't is verschrikkelijk – *verschrikkelijk.* Er waren drie kinderen, nietwaar?'

'Ja, mevrouw Davis. Een jongen van vijftien, een meisje van veertien en de jongen van twaalf die stierf –'

'Wat gebeurde er met de anderen?'

''t Meisje werd geloof ik door iemand aangenomen. We hebben haar niet kunnen opsporen. De jongen zou nu ongeveer drieëntwintig zijn. We hebben hem uit 't oog verloren. Er werd gezegd dat hij altijd een beetje vreemd is geweest. Hij ging toen hij achttien jaar was bij 't leger. Later deserteerde hij. Sindsdien is hij verdwenen. De legerpsychiater zegt met stelligheid dat hij niet normaal is.'

'Denkt u dat hij mevrouw Lyon heeft vermoord?' vroeg Giles. 'En dat hij een moordzuchtige maniak is en om onbekende redenen misschien hierheen zal komen?'

'We geloven dat er verband moet bestaan tussen iemand hier en de zaak van Longridge Farm. Als we maar eenmaal kunnen vaststellen welk verband dat is, zullen we maatregelen kunnen nemen. U verzekert dus, meneer, dat u op generlei wijze iets met de zaak te maken heeft. Geldt hetzelfde voor u, mevrouw Davis?'

'Ik – o ja – ja. . .'

'Misschien wilt u me wel precies vertellen wie er nog meer in huis zijn?'

Ze gaven hem de namen op. Mevrouw Boyle. Majoor Metcalf. Meneer Christopher Wren. Meneer Paravicini. Hij schreef ze op in zijn notitieboek.

'Is er personeel?'

'We hebben geen personeel,' zei Molly. 'En dat doet me eraan denken dat ik de aardappels moet gaan opzetten.'

Ze verliet meteen de studeerkamer.

Trotter wendde zich tot Giles.

'Wat weet u van deze mensen, meneer?'

'Ik – we –' Giles stopte. Toen zei hij rustig: 'Eigenlijk weten we niets van hen, rechercheur Trotter. Mevrouw Boyle heeft vanuit een hotel in Bournemouth geschreven, majoor Metcalf vanuit Leamington, meneer Wren vanuit een particulier hotel in South Kensington. Meneer Paravicini kwam zo uit de lucht vallen – of liever uit de sneeuw – zijn auto was over de kop geslagen in een sneeuwhoop hier dichtbij. Maar ik veronderstel dat ze toch wel identiteitskaarten zullen hebben, bonboekjes en dat soort dingen?'

'Dat zal ik natuurlijk allemaal nagaan.'

'Aan één kant is 't een geluk dat 't zulk vreselijk weer is,' zei Giles. 'De moordenaar zal hier niet erg best doorheen kunnen komen, denkt u wel?'

'Misschien is daar geen noodzaak voor, meneer Davis.'

'Hoe bedoelt u dat?'

Rechercheur Trotter aarzelde een ogenblik en zei toen:

'U moet er wel rekening mee houden, meneer, *dat hij misschien al hier is.*'

Giles staarde hem verbaasd aan.

'Hoe bedoelt u dat?'

'Mevrouw Gregg werd twee dagen geleden vermoord. *Al uw gasten zijn na die tijd hier gekomen, meneer Davis.*'

'Ja, maar ze hadden al besproken – al een tijd van te voren – behalve Paravicini.'

Rechercheur Trotter zuchtte. Zijn stem klonk vermoeid.

'Deze misdaden werden van tevoren beraamd.'

'Misdaden? Maar er is nog maar één misdaad begaan. Waarom bent u er zeker van dat er nog een begaan zal worden?'

'Dat 't zal gebeuren – nee. Ik hoop dat te voorkomen. Dat er een poging toe zal worden gedaan, ja.'

'Maar in dat geval – als u gelijk hebt,' sprak Giles opgewonden, 'is er maar één persoon, die 't kan zijn. Er is maar één persoon die de juiste leeftijd heeft. *Christopher Wren!*'

2

Rechercheur Trotter had zich bij Molly in de keuken gevoegd.

'Ik zou 't prettig vinden, mevrouw Davis, als u met me mee naar de bibliotheek wilde gaan. Ik wilde een algemene verklaring voor iedereen afleggen – meneer Davis is zo vriendelijk geweest erheen te gaan om dat voor te bereiden –'

'Goed – laat me even deze aardappels afschillen. Soms wilde ik dat Sir Walter Raleigh die akelige dingen maar nooit had ontdekt –'

Rechercheur Trotter bewaarde een afkeurend stilzwijgen. Molly zei verontschuldigend:

'Ik kan 't maar niet werkelijk geloven, ziet u – 't Is zo fantastisch –'

''t Is niet zo fantastisch, mevrouw Davis – 't Zijn alleen naakte *feiten*.'

'Hebt u een beschrijving van de man?' vroeg Molly nieuwsgierig.

'Middelmatig van lengte, tengere lichaamsbouw, droeg een donkere overjas en een lichte hoed, sprak fluisterend, zijn gezicht was verborgen achter een das. U ziet – dat kan iedereen zijn.' Hij wachtte even en voegde eraan toe: 'Er hangen hier in de hal drie donkere overjassen en drie lichte hoeden, mevrouw Davis.'

'Ik geloof niet dat iemand van deze mensen uit Londen is gekomen.'

'Niet, mevrouw Davis?' Met een snelle beweging liep rechercheur Trotter naar de aanrecht en nam een krant op.

'De *Evening Standard* van de 19e februari. Twee dagen geleden. *Iemand* heeft die krant hier gebracht, mevrouw Davis.'

'Maar hoe merkwaardig.' Molly stond met grote ogen te kijken, terwijl ze zich vaag iets herinnerde. 'Waar kan die krant vandaan zijn gekomen?'

'U moet de mensen niet altijd naar hun uiterlijk beoordelen, mevrouw Davis. U weet eigenlijk niets van de mensen die u in uw huis hebt gehaald.' Hij voegde eraan toe: 'Ik neem aan dat u en meneer Davis nog beginnelingen zijn in 't pensionbedrijf?'

'Ja, dat zijn we,' gaf Molly toe. Ze voelde zich plotseling onervaren, dom en kinderlijk.

'U bent misschien ook nog niet lang getrouwd?'

'Net een jaar.' Ze bloosde licht. ''t Was allemaal nogal plotseling.'

'Liefde op 't eerste gezicht,' zei rechercheur Trotter sympathiek.

Molly voelde zich niet in staat hem af te schepen.

'Ja,' zei ze, en voegde er in een vlaag van vertrouwen aan toe: 'We kenden elkaar nog maar veertien dagen. . .'

Haar gedachten gingen terug naar die veertien dagen, die als een wervelende hofmakerij waren geweest. Er was geen twijfel geweest – ze waren beiden zeker van hun zaak. In een onrustige, zenuwslopende wereld hadden zij het wonder van elkaars bezit ontdekt . . . Er kwam een glimlachje om haar lippen.

Ze kwam tot het heden terug en zag dat rechercheur Trotter haar toegeeflijk gadesloeg.

'Uw man komt zeker niet uit deze streek?'

'Nee,' zei Molly vaag. 'Hij komt uit Lincolnshire.'

Ze wist erg weinig over Giles' jeugd en opvoeding. Zijn ouders waren dood en hij vermeed altijd over zijn kinderjaren te praten. Ze vermoedde dat hij een ongelukkige jeugd had gehad.

'U bent allebei erg jong, als ik 't mag zeggen, om een bedrijf als dit te leiden,' zei rechercheur Trotter.

'O, ik weet niet. Ik ben tweeëntwintig –'

Ze zweeg, toen de deur openging en Giles binnenkwam.

'Alles is in orde. Ik heb 't hun in grote lijnen verteld,' zei hij. 'Ik hoop dat 't goed is, rechercheur?'

'Dat spaart tijd,' zei Trotter. 'Bent u klaar, mevrouw Davis?'

3

Vier stemmen spraken tegelijk, toen rechercheur Trotter de bibliotheek inkwam.

De hoogste en schrilste was die van Christopher Wren, die verklaarde dat dit erg, erg opwindend was en dat hij vannacht geen oog dicht zou doen, en: 'Kunnen we alstublieft, *alstublieft* alle bloedige bijzonderheden horen?'

Van de kant van mevrouw Boyle kwam een soort accompagnement als van een dubbele bas. 'Een grof schandaal – volkomen onbekwaamheid – geen manier van de politie om moordenaars zo maar in de omgeving te laten rondzwerven.'

Meneer Paravicini was hoofdzakelijk welsprekend met zijn handen. Zijn gebaren drukten meer uit dan zijn woorden, die overstemd werden door de dubbele bas van mevrouw Boyle. Van majoor Metcalf kon men af en toe een kort afgebroken geblaf horen. Hij vroeg om 'feiten'.

Trotter wachtte enkele ogenblikken, toen stak hij bevelend een hand op en het was, nogal verwonderlijk, meteen stil.

'Dank u,' zei hij. 'Nu, meneer Davis heeft u al in 't

kort uiteengezet waarom ik hier ben. Ik wil één ding weten, alleen dat ene ding en ik wil 't vlug weten. *Wie van u heeft in enig opzicht iets te maken met de zaak van Longridge Farm?'*

De stilte werd niet verbroken. Vier nietszeggende gezichten keken rechercheur Trotter aan. De gemoedsbewegingen van enkele ogenblikken tevoren, de opwinding, verontwaardiging, hysterie, nieuwsgierigheid, waren allemaal weggevaagd, zoals een spons de krijttekens van het bord veegt.

Rechercheur Trotter sprak opnieuw, dringender.

'Begrijp me alstublieft goed. We hebben reden om te geloven dat iemand van u in gevaar verkeert – in levensgevaar. *Ik moet weten wie van u dat is!'*

En nog sprak of bewoog niemand.

Er kwam iets van woede in Trotters stem.

'Heel goed – dan zal ik 't u een voor een vragen. Meneer Paravicini?'

Een heel flauw glimlachje zweefde over meneer Paravicini's gezicht. Hij hief zijn handen op in een afwerend, vreemd gebaar.

'Maar ik ben een vreemdeling in deze streken, inspecteur. Ik weet niets, maar dan ook niets over deze plaatselijke gebeurtenissen van jaren geleden.'

Trotter verspilde geen tijd. Hij snauwde:

'Mevrouw Boyle?'

'Ik kan werkelijk niet inzien waarom – ik bedoel – waarom zou *ik* iets te maken hebben met zo'n droevige zaak?'

'Meneer Wren?'

Christopher zei op schrille toon:

'Ik was nog maar een kind toentertijd. Ik herinner me zelfs niet erover *gehoord* te hebben.'

'Majoor Metcalf?'

De majoor zei kortaf:

'Heb erover in de kranten gelezen. Ik was in die tijd in Edinburgh in garnizoen.'

'Is dat alles wat u te zeggen hebt – ieder van u?'

Weer stilte. Trotter slaakte een overdreven zucht.

'Als er iemand van u wordt vermoord,' zei hij, 'zal hij 't alleen aan zichzelf te wijten hebben.'

Hij draaide zich abrupt om en verliet het vertrek.

Hoofdstuk 5

1

'Lieve mensen,' zei Christopher. 'Wat *melodramatisch!*'

Hij voegde erbij: 'Hij is erg knap, vindt u niet? Ik bewonder de politie toch zo. Zo streng en hard. Heel opwindend deze hele zaak. "Drie Blinde Muizen." Hoe is dat wijsje ook weer?'

Hij floot het liedje zachtjes, en Molly riep onwillekeurig uit: *'Doe dat niet!'*

Hij draaide zich naar haar om en lachte.

'Maar mijn beste mevrouwtje,' zei hij, "t is mijn *herkenningsmelodie.* Ik ben nog nooit tevoren voor een moordenaar aangezien en ik geniet ervan!'

'Melodramatische onzin,' zei mevrouw Boyle. 'Ik geloof er geen woord van.'

In Christophers lichte ogen twinkelden schelms ondeugende lichtjes.

'Wacht maar eens, mevrouw Boyle.' Hij liet zijn stem dalen. 'Tot ik achter u sluip en u mijn handen om uw keel voelt. . .'

Molly rilde. Giles zei boos: 'Je maakt mijn vrouw bang, Wren. 't Is in elk geval een ellendig soort grapje.'

'Dit is niet iets om grappen over te maken,' zei Metcalf.

'O, maar dat is 't wel,' zei Christopher. 'Dat is 't nu juist wel – een grap van een gek. Dat maakt 't juist zo heerlijk *luguber.*'

Hij keek de kring rond en lachte weer.

'Als jullie je gezichten eens konden zien,' zei hij.

Toen ging hij snel de kamer uit.

2

Mevrouw Boyle herstelde zich het eerst.

'Een bijzonder slechtgemanierde en zenuwachtige jongeman,' zei ze. 'Waarschijnlijk is hij een principiële dienstweigeraar.'

'Hij heeft me verteld dat hij tijdens een luchtaanval achtenveertig uur lang onder 't puin bedolven is geweest, voor hij werd uitgegraven,' zei majoor Metcalf. 'Dat verklaart wel een en ander, zou ik denken.'

'De mensen weten altijd wel iets aan te voeren waarvan ze over hun zenuwen zijn geraakt,' zei mevrouw Boyle op zure toon. 'Ik weet zeker dat ik evenveel als wie dan ook heb meegemaakt in de oorlog en *mijn* zenuwen zijn best in orde.'

'Dat is misschien maar goed voor u ook, mevrouw Boyle,' zei Metcalf.

'Hoe bedoelt u dat?'

Majoor Metcalf zei rustig:

'Ik geloof dat u in feite de ambtenaar voor de inkwartiering van dit district is geweest in 1940, mevrouw Boyle.' Hij keek naar Molly, die ernstig knikte. 'Dat is toch zo, nietwaar?'

Mevrouw Boyles gezicht kreeg een kleur van boosheid.

'Wat zou dat?' vroeg ze.

Metcalf zei ernstig:

'*U* was er verantwoordelijk voor dat er drie kinderen naar Longridge Farm werden gezonden.'

'Ik kan werkelijk niet inzien, majoor Metcalf, hoe ik verantwoordelijk gesteld kan worden voor wat er is gebeurd. De mensen van de Farm leken heel aardig en waren erg verlangend de kinderen te krijgen. Ik zie niet in dat mij ergens blaam treft – of dat ik aansprakelijk gesteld kan worden –' Haar stem stierf weg.

Giles zei op scherpe toon:

'Waarom hebt u dit niet aan rechercheur Trotter verteld?'

'Daarmee heeft de politie niets te maken,' snauwde

mevrouw Boyle. 'Ik kan wel op mezelf passen.'

Majoor Metcalf zei kalm:

'Ik zou maar uitkijken als ik u was.'

Toen verliet hij ook de kamer.

Molly mompelde:

'Natuurlijk was u *inderdaad* de ambtenaar voor de inkwartiering. . .! Ik herinner 't me. . .'

'Molly, heb je dat geweten?' Giles keek haar verbaasd aan.

'U woonde in dat grote huis op de meent, nietwaar?'

'Gevorderd,' zei mevrouw Boyle. 'En volkomen geruïneerd,' voegde ze er bitter aan toe. '*Vernield.* Onrechtmatig.'

Toen begon meneer Paravicini heel zachtjes te lachen. Hij wierp zijn hoofd achterover en lachte vrijuit.

'Neem me niet kwalijk,' hijgde hij. 'Maar ik vind dit werkelijk allemaal erg amusant. Ik heb veel plezier – ja, ik vermaak me bijzonder.'

Op dat ogenblik kwam rechercheur Trotter de kamer weer binnen. Hij keek afkeurend naar meneer Paravicini.

'Ik ben blij,' zei hij zuur, 'dat iedereen dit zo grappig vindt.'

'Ik vraag excuus, waarde inspecteur. Ik vraag heus excuus. Ik ben bezig 't effect van uw plechtige waarschuwing te bederven.'

Rechercheur Trotter haalde zijn schouders op.

'Ik heb mijn best gedaan de situatie duidelijk te maken,' zei hij. 'En ik ben geen inspecteur. Ik ben maar rechercheur. Ik zou graag van uw telefoon gebruik maken, mevrouw Davis.'

'Ik verneder me,' zei meneer Paravicini. 'Ik sluip weg.'

Verre van sluipend, verliet hij de kamer met die luchtige en jeugdige stap, die Molly al eerder was opgevallen.

''t Is een rare snuiter,' zei Giles.

'Type van een misdadiger,' zei Trotter. 'Ik zou hem voor geen cent vertrouwen.'

'O,' riep Molly uit. 'Denkt u dat *hij* – maar hij is veel te oud. . . Of is hij eigenlijk wel oud? Hij gebruikt make-up – in hoge mate zelfs. En zijn loop is jong. Misschien heeft hij zich opgemaakt met de bedoeling er *oud uit te zien.* Rechercheur Trotter, denkt u –'

Rechercheur Trotter sneed haar streng de pas af.

'Met onvruchtbare speculaties komen we nergens, mevrouw Davis,' zei hij. 'Ik moet rapport uitbrengen aan hoofdinspecteur Hogben.'

Hij liep naar de telefoon.

'Maar dat kunt u niet,' zei Molly. 'De telefoon werkt niet.'

'Wat?' Trotter wendde zich met een ruk om.

De ontsteltenis in zijn stem maakte op hen allen indruk.

'Werkt niet? Sinds wanneer?'

'Majoor Metcalf heeft het geprobeerd, even voordat u kwam.'

'Maar vóórdien was hij toch in orde. U kreeg toch de boodschap van hoofdinspecteur Hogben?'

'Ja. Ik veronderstel dat – daarna – de lijn is gebroken – door de sneeuw.'

Maar Trotters gezicht bleef ernstig.

'Dat weet ik nog zo net niet,' zei hij. 'Hij kan ook wel doorgesneden zijn.'

Molly staarde hem aan.

'Denkt u dat?'

'Daar zal ik me van gaan overtuigen.'

Hij snelde de kamer uit. Giles aarzelde en ging hem toen na.

Molly riep uit: 'Lieve hemel! 't Is bijna lunchtijd, ik moet opschieten – of wij zullen niets te eten hebben.'

Toen ze de kamer uitholde, mopperde mevrouw Boyle:

'Onbekwaam jong ding! Wat een huis. *Ik* zal geen vijfenzeventig gulden betalen voor *zoiets.*'

3

Rechercheur Trotter boog zich voorover en volgde de draden. Hij vroeg aan Giles:

'Is er een tweede toestel?'

'Ja, boven in onze slaapkamer. Zal ik erheen gaan en daar kijken?'

'Heel graag.'

Trotter opende het raam en leunde naar buiten, ondertussen de sneeuw van de vensterbank vegend.

Giles holde de trap op.

4

Meneer Paravicini was in de grote zitkamer. Hij ging naar de vleugel en opende die. Gezeten op de pianokruk speelde hij op het gehoor zachtjes een wijsje met één vinger.

Drie Blinde Muizen
Ziet hoe ze rennen. . .

5

Christopher Wren was in zijn slaapkamer. Hij liep heen en weer, vrolijk fluitend. . .

Plotseling werd het gefluit beverig en stierf weg. Hij ging op de rand van het bed zitten. Hij begroef zijn gezicht in zijn handen en begon te snikken. . . Hij prevelde kinderlijk: 'Ik kan er niet mee doorgaan. . .'

Toen veranderde zijn stemming. Hij stond op en rechtte zijn schouders.

'Ik moet er wel mee doorgaan,' zei hij. 'Ik moet wel doorzetten.'

6

Giles stond bij de telefoon in de kamer van hem en Molly. Hij boog zich voorover naar de plint. Daar lag een van Molly's handschoenen. Hij raapte hem op. Er viel een rose buskaartje uit. . . Giles keek erop neer, toen het op de grond fladderde. Terwijl hij ernaar keek, veranderde zijn gezicht. . .

Hij leek een ander mens, zoals hij langzaam, als in een droom, naar de deur liep, die opende en een ogenblik door de gang naar het boveneinde van de trap tuurde.

7

Molly was klaar met de aardappels, deed ze in de pan en zette die op het gas. Ze keek in de oven. Alles was in orde zoals ze het had geregeld.

Op de keukentafel lag de twee dagen oude aflevering van de *Evening Standard*. Ze fronste haar wenkbrauwen toen ze er naar keek. Als ze het zich maar kon herinneren. . .

Plotseling sloeg ze de handen voor de ogen.

'O, nee,' zei Molly. 'O, *nee*. . .'

Ze liet langzaam haar handen zakken. Ze keek de keuken rond als iemand die naar een vreemd vertrek kijkt. Hij was zo warm en gezellig en ruim met zijn zwakke geurige etensluchtjes.

'O *nee*,' zei ze weer fluisterend.

Ze bewoog zich langzaam, als een slaapwandelaarster, naar de deur tot de hal. Ze opende die. Het huis was stil, alleen was er iemand aan het fluiten. . .

Dat wijsje. .. .

Molly huiverde en ging weer terug. Ze bleef enkele ogenblikken staan en keek de bekende keuken weer rond. Ja, alles was in orde en verliep goed. . .

Ze ging nog eens naar de keukendeur. . .

8

Majoor Metcalf kwam zachtjes de achtertrap af. Hij wachtte even in de hal, toen opende hij de grote kast onder de trap en gluurde naar binnen.

Alles leek rustig. Er was niemand te zien. Hij kon net zo goed nu als op een ander tijdstip datgene doen, waartoe hij besloten was. . .

9

Mevrouw Boyle in de bibliotheek draaide een beetje geergerd aan de knoppen van de radio.

Haar eerste poging bracht haar midden in een lezing over de oorsprong en betekenis van kinderrijmpjes. Dat was wel het laatste wat ze wenste te horen. Ongeduldig verder draaiende, hoorde ze een beschaafde stem vertellen:

'Men moet de psychologie van de angst wel goed begrijpen. Stel dat u alleen in een kamer bent. Een deur gaat zachtjes achter u open –'

En een deur ging open. Mevrouw Boyle wendde zich met een heftige beweging plotseling om.

'O, ben u 't,' zei ze opgelucht. 'Ze hebben maar idiote programma's op dit ding. Ik kan niets vinden dat de moeite waard is om naar te luisteren!'

'Ik zou maar geen moeite doen om te luisteren, mevrouw Boyle.'

Mevrouw Boyle snoof minachtend.

'Wat moet ik anders doen?' vroeg ze. 'Opgesloten in een huis met een vermoedelijke moordenaar – niet dat ik een moment geloof hecht aan *die* melodramatische geschiedenis –'

'Gelooft u dat niet, mevrouw Boyle?'

'Waarom – wat bedoelt u –'

De ceintuur van de regenjas werd zo vlug om haar hals gegooid dat ze nauwelijks de tijd had de bedoeling ervan gewaar te worden.

De knop van de radio werd verder doorgedraaid. De spreker over de psychologie van de angst schreeuwde zijn geleerde opmerkingen de kamer in en overschreeuwde mogelijke geluiden die gepaard gingen met het overlijden van mevrouw Boyle.

Maar er werd niet veel lawaai gemaakt.

De moordenaar was daarvoor veel te bedreven. . .

Hoofdstuk 6

1

Ze zaten allemaal bij elkaar in de keuken. Op het gasfornuis stonden de aardappels lustig te borrelen. De lekkere geur van in de oven gebraden vlees en nierpastei verspreidde zich steeds meer.

Vier geschokte mensen zaten elkaar aan te staren, de vijfde, Molly, nam bleek en beverig kleine teugjes van het glas whisky, dat de zesde, rechercheur Trotter haar had gedwongen te drinken.

Rechercheur Trotter zelf keek met een strak en boos gezicht naar de mensen om hem heen. Het was nog maar vijf minuten geleden, dat Molly's schrikaanjagend gegil hem en de anderen naar de bibliotheek had doen rennen.

'Ze was nog maar net vermoord, toen u bij haar kwam, mevrouw Davis,' zei hij. 'Weet u zeker dat u niemand hebt gezien of gehoord, toen u de hal doorkwam?'

'Ik hoorde fluiten,' zei Molly zwakjes, '– maar dat was eerder. Ik geloof – ik weet 't niet zeker – ik geloof dat ik een deur hoorde sluiten – ergens zachtjes – net toen ik – toen ik – de bibliotheek binnenging.'

'Welke deur?'

'Dat weet ik niet.'

'Denk eens na, mevrouw Davis – probeert u eens *na te denken* – boven – beneden – recht – links. . .?'

'Ik *weet* 't niet, zeg ik u,' riep Molly uit. 'Ik weet niet eens zeker of ik wel wat hoorde.'

'Kunt u niet uitscheiden met haar lastig te vallen?' zei Giles boos. 'Ziet u dan niet dat ze helemaal op is?'

'Ik moet een onderzoek naar een moord instellen, meneer Davis – neem me niet kwalijk, *commandant* Davis.'

'Ik maak geen gebruik van mijn oorlogsrang, rechercheur.'

'O juist, meneer,' Trotter wachtte even, alsof hij een spitsvondig bewijs had geleverd. 'Zoals ik zeg, ik ben een onderzoek naar een moord aan 't instellen. Tot nu toe heeft niemand deze kwestie ernstig opgenomen. Mevrouw Boyle heeft 't niet gedaan. Ze heeft inlichtingen voor me achtergehouden. U hebt allemaal iets voor me achtergehouden. Welnu, mevrouw Boyle is dood. Tenzij we dit tot de bodem toe uitzoeken – en vlug, moet u er maar op rekenen dat er nog een moord kan worden begaan.'

'Nog een? Onzin. Waarom?'

'Omdat,' zei rechercheur Trotter ernstig, 'er drie kleine blinde muizen waren...'

Giles zei ongelovig: 'Een moord voor elk van hen? Maar dan zou er een aanknopingspunt moeten zijn – ik bedoel een ander aanknopingspunt met de zaak.'

'Ja, dat zou er moeten zijn.'

'Maar waarom nog een andere moord *hier?*'

'Omdat er maar twee adressen in 't opschrijfboekje stonden. Er was maar één slachtoffer mogelijk in Culver Street 74. Zij is dood. Maar op Monkswell Manor zijn meer mogelijkheden.'

'Onzin, Trotter, 't zou al een heel onwaarschijnlijke samenloop van omstandigheden zijn, als er toevallig *twee* mensen hierheen zouden zijn gekomen die allebei iets te maken hebben gehad met die zaak van Longridge Farm.'

'Onder de gegeven omstandigheden zou 't niet zo heel toevallig zijn. Denk er maar eens goed over na, meneer Davis.'

Hij wendde zich tot de anderen.

'Ik heb van u allemaal verklaringen gehad, waar u was, toen mevrouw Boyle werd vermoord. Ik zal ze nog eens nagaan – u was in uw kamer, meneer Wren, toen u mevrouw Davis hoorde gillen?'

'Ja, rechercheur.'

'Meneer Davis, u was boven in uw slaapkamer bezig 't andere toestel daar na te kijken?'

'Ja,' zei Giles.

'Meneer Paravicini zat in de salon deuntjes op de piano te spelen. Tussen haakjes, heeft niemand u horen spelen, meneer Paravicini?'

'Ik speelde maar heel zachtjes, rechercheur, alleen maar met één vinger.'

'Welk wijsje was 't?'

'Drie Blinde Muizen, rechercheur.' Hij glimlachte. 'Het zelfde wijsje dat meneer Wren boven aan 't fluiten was. 't Wijsje dat iedereen in zijn hoofd heeft.'

''t Is een afschuwelijk wijsje,' zei Molly.

'Hoe zit 't met de telefoonkabel?' vroeg Metcalf. 'Was die met opzet doorgesneden?'

'Ja, majoor Metcalf. Er is een stukje uitgesneden net buiten 't raam van de eetkamer – ik had juist de plaats van de breuk ontdekt, toen mevrouw Davis gilde.'

'Maar 't is krankzinnig. Hoe kan hij nu hopen dit ongestraft te kunnen doen?' vroeg Christopher met schrille stem.

De rechercheur nam hem van hoofd tot voeten op.

'Misschien kan dat hem niet veel schelen,' zei hij. 'Of hij kan er ook wel van overtuigd zijn dat hij ons te slim af is.' Hij voegde eraan toe: 'Wij krijgen bij onze opleiding een cursus in psychologie, ziet u. De mentaliteit van een schizofreen is erg interessant.'

'Zullen we de lange woorden er maar uit laten?' zei Giles.

'Zeker, meneer Davis. Er zijn maar twee korte woorden, waarmee we momenteel te maken hebben. 't Ene is *moord* en 't andere is *gevaar*. Daar moeten we ons nu intensief mee bezighouden. Nu, majoor Metcalf, ik zou graag een duidelijke verklaring omtrent uw bewegingen hebben. U zegt dat u in de *kelder* was – Waarom?'

'Ik keek eens rond,' zei de majoor. 'Ik keek in die kast onder de trap en toen zag ik daar een deur, die ik opendeed, en daarachter een paar treden, die ik dus afliep. U hebt mooie kelders,' zei hij tot Giles. 'Zeker de gewelven van een oud klooster.'

'We zijn niet bezig met een oudheidkundig onderzoek, majoor Metcalf. We doen een onderzoek naar een moord. Wilt u eens even luisteren, mevrouw Davis? Ik zal de keukendeur openlaten.'

Hij ging weg en een deur sloot met een zacht gekraak. 'Hebt u dat gehoord, mevrouw Davis?' vroeg hij, toen hij weer in de deuropening verscheen.

'Ik – 't lijkt wel hetzelfde geluid.'

'Dat was de kast onder de trap. 't Zou wel kunnen, ziet u, dat de moordenaar, nadat hij mevrouw Boyle had vermoord en door de hal terugliep, u uit de keuken hoorde komen, toen de kast inglipte en de deur achter zich dichttrok.'

'Dan moeten zijn vingerafdrukken op de binnenkant van de kast zitten,' riep Christopher uit.

'De mijne zitten er al op,' zei majoor Metcalf.

'Zeker,' zei rechercheur Trotter. 'Maar daar hebben we een afdoende verklaring voor, nietwaar?' voegde hij er effen aan toe.

'Luister eens, rechercheur,' zei Giles. 'Ik geef toe dat u met deze zaak belast bent. Maar dit is mijn huis en tot op zekere hoogte voel ik me verantwoordelijk voor de mensen die er logeren. Zouden we geen voorzorgsmaatregelen moeten nemen?'

'Wat bij voorbeeld, meneer Davis?'

'Nu, om er maar eerlijk voor uit te komen, door de persoon die wel vrij duidelijk als voornaamste verdachte in aanmerking komt, in hechtenis te nemen.'

Hij keek Christopher Wren recht in het gezicht.

2

Christopher Wren sprong overeind, zijn stem verhief zich schril en hysterisch.

''t Is niet waar! 't Is niet *waar!* U bent allemaal tegen me... Iedereen is altijd tegen me. U wilt me hier vals van beschuldigen. 't Is een aantijging – aantijging –'

'Kalm aan, kerel,' zei majoor Metcalf.

''t Is in orde, Chris.' Molly stapte naar voren. Ze legde haar hand op zijn arm. 'Niemand is tegen je. Zeg hem dat 't in orde is,' zei ze tegen rechercheur Trotter.

'We beschuldigen niemand vals,' zei rechercheur Trotter.

'Zeg hem dat u hem niet zult arresteren.'

'Ik ga niemand arresteren. Om dat te doen, moet ik bewijzen hebben. Er zijn nog geen bewijzen – op 't ogenblik.'

Giles riep uit:

'Ik geloof dat je krankzinnig bent, Molly. En u ook, rechercheur. Er is maar één persoon op wie de aanklacht slaan kan en –'

'Wacht eens, Giles, wacht eens – ' viel Molly hem in de rede. 'Wees nu eens even kalm. Rechercheur Trotter, kan ik – kan ik even met u spreken?'

'Ik blijf erbij,' zei Giles.

'Nee, Giles, jij alsjeblieft ook niet.'

Giles' gezicht werd zo donker als een onweerswolk. Hij zei:

'Ik weet niet wat je bezielt, Molly.'

Hij volgde de anderen de kamer uit, de deur met een klap achter zich dichttrekkend.

'Ja, mevrouw Davis, wat is er?'

'Rechercheur Trotter, toen u ons vertelde over de zaak van de Longridge Farm, scheen u te denken dat 't de oudste jongen moest zijn die – verantwoordelijk is voor dit alles. Maar dat weet u toch niet *zeker?*'

'Dat is volkomen waar, mevrouw Davis. Maar de aanduidingen wijzen wel in die richting – geestelijke gestoordheid, desertie uit 't leger, 't rapport van de psychiater.'

'O, dat weet ik en daarom schijnt alles op Christopher te wijzen. Maar ik geloof niet dat 't Christopher *is*. Er moeten nog andere – mogelijkheden zijn. Hadden die drie kinderen geen familie – geen ouders bij voorbeeld?'

'Ja. De moeder was gestorven. Maar de vader diende in 't buitenland.'

'Nu, hoe zit 't dan met hem? Waar is *hij* nu?'

'Dat hebben we niet kunnen achterhalen. Hij heeft verleden jaar zijn demobilisatiepapieren gekregen.'

'En als de zoon geestelijk gestoord was, zou de vader dat ook wel kunnen zijn.'

'Dat is zo.'

'Dus de moordenaar kan ook wel van middelbare leeftijd of oud zijn. Weet u nog dat majoor Metcalf geweldig van streek was, toen ik hem vertelde dat de politie had opgebeld? Dat *was* hij heus.'

Rechercheur Trotter zei rustig:

'Geloof me alstublieft, mevrouw Davis, dat ik van 't begin af met alle mogelijkheden rekening heb gehouden. De jongen Jim – de vader – zelfs de zuster. 't *Zou* een vrouw hebben kunnen zijn, weet u. Ik heb niets over 't hoofd gezien. Ik heb voor mezelf wel ongeveer een idee – maar ik *weet* 't niet – nog niet. 't Is erg moeilijk over iets of iemand wat zeker te weten –, vooral tegenwoordig. U zou er verbaasd over zijn wat we bij de politie meemaken. Vooral waar 't huwelijken betreft. Hals-over-kop huwelijken – oorlogshuwelijken. Er is geen achtergrond, ziet u. Geen familie of bloedverwanten om mee kennis te maken. De mensen nemen elkaar op elkaars woord. De jongen zegt dat hij bij de luchtmacht is of majoor in 't leger – 't meisje gelooft hem onvoorwaardelijk. Soms duurt 't wel een paar jaar, vóór ze ontdekt dat hij een voortvluchtige bankbediende is met vrouw en kinderen of een deserteur.'

Hij wachtte even en ging verder:

'Ik weet heel goed wat u denkt, mevrouw Davis. Maar er is nog één ding dat ik u graag zou willen zeggen. *De moordenaar heeft er zelf plezier in.* Dat is het enige waarvan ik zeker ben.'

Hij liep naar de deur.

3

Molly bleef achter, kaarsrecht, met een rood blosje op haar wangen. Nadat ze even doodstil zo was blijven staan, liep ze langzaam naar het fornuis, knielde neer en opende de ovendeur. Een lekkere, bekende geur kwam haar tegemoet. Ze voelde zich opgelucht. Het was alsof ze plotseling weer was teruggebracht tot de prettige, bekende wereld van alledaagse dingen. Koken, huishoudelijk werk, kamers doen, het gewone prozaïsche leven. . .

Zo hadden sinds onheuglijke tijden vrouwen voor hun mannen eten gekookt. De wereld van gevaar – van krankzinnigheid, viel weg. De vrouw in haar keuken was veilig . . . voor eeuwig veilig.

De keukendeur ging open. Ze draaide haar hoofd om, toen Christopher Wren binnenkwam. Hij was een beetje buiten adem.

'Beste mevrouwtje,' zei hij. 'Er is *zo'n* herrie! Iemand heeft de ski's van de rechercheur gestolen.'

'De ski's van de rechercheur? Maar waarom zou iemand dat willen doen?'

'Ik kan 't me niet indenken. Ik bedoel, als de rechercheur zou besluiten weg te gaan en ons te verlaten, zou ik denken dat de moordenaar 't juist heel prettig zou vinden. Ik bedoel, 't heeft geen *zin,* vindt u wel?'

'Giles heeft ze in de kast onder de trap gelegd.'

'Nou, ze zijn er nu niet meer. Raadselachtig, nietwaar?'

Hij lachte vrolijk.

'De rechercheur is er woedend om. Hij grauwt als een kater. Hij heeft die arme majoor Metcalf er van langs gegeven. De oude baas houdt vol dat hij niet heeft gezien of ze er wèl of niet waren, toen hij in de kast keek, even voordat mevrouw Boyle vermoord werd. Trotter zegt dat hij 't *moet* hebben gezien. Als je 't mij vraagt,' Christopher liet zijn stem dalen en boog naar voren, 'begint deze zaak Trotter op zijn zenuwen te werken.'

''t Begint ons allemaal op de zenuwen te werken,' zei Molly.

'Mij niet. Ik vind 't erg opwindend. 't Is allemaal zo heerlijk onwerkelijk.'

Molly zei scherp:

'Dat zou u niet hebben gezegd, als – als u degene was geweest die haar had gevonden. Mevrouw Boyle, bedoel ik. Ik moet er maar steeds aan denken... Ik kan 't niet vergeten... Haar gezicht – helemaal opgezwollen en paarsrood...'

Ze huiverde. Christopher kwam naar haar toe. Hij legde een hand op haar schouder.

'Ik weet 't. Ik ben een idioot. 't Spijt me. Ik dacht er niet bij.'

Een droge snik welde naar Molly's keel.

''t Leek zo pas allemaal in orde – 't koken – de keuken', ze sprak verward, onsamenhangend. 'En toen ineens – kwam alles weer terug – als een nachtmerrie.'

Er was een eigenaardige uitdrukking op Christopher Wrens gezicht toen hij op haar gebogen hoofd stond neer te kijken.

'Juist,' zei hij. 'Juist.'

Hij liep weg.

'Nu, ik kan maar beter opstappen en u – niet storen.'

Molly riep: 'Ga niet weg!', net toen hij zijn hand op de deurknop had.

Hij wendde zich vragend naar haar om. Toen kwam hij langzaam terug.

'Meent u dat werkelijk?'

'Wat?'

'U wilt beslist niet dat ik wegga?'

'Nee, zeg ik u. Ik wil niet alleen zijn. Ik ben bang om alleen te zijn.'

Christopher ging aan de tafel zitten. Molly bukte zich naar de oven, schoof de pastei op een hogere plaat, deed de ovendeur dicht en kwam bij hem zitten.

'Dat is heel interessant,' zei Christopher met vlakke stem.

'Wat?'

'Dat u niet bang bent, om alleen met mij te zijn. Bent u dat heus niet?'

Ze schudde het hoofd.

'Nee, dat ben ik niet.'

'Waarom ben je niet bang, Molly?'

'Ik weet 't niet. . . Ik ben 't niet. . .'

'En toch ben ik de enige persoon op wie de aanklacht slaat. Een moordenaar volgens schema.'

'Nee,' zei Molly. 'Er zijn – andere mogelijkheden. Ik heb er met rechercheur Trotter over gesproken.'

'Was hij 't met je eens?'

'Hij was 't niet oneens,' zei Molly langzaam. . .

Bepaalde woorden klonken steeds maar weer in haar hoofd. Vooral die laatste zin: *'Ik weet precies wat u denkt, mevrouw Davis.'* Maar wist hij dat heus? Kon hij 't met enige mogelijkheid weten?

Hij had ook gezegd dat de moordenaar het zelf erg grappig vond. . . Was dat waar?

Ze zei tot Christopher:

'*Jij* vindt 't toch niet echt grappig, is 't wel? Ondanks dat wat je pas zei?'

'Lieve hemel nee,' zei Christopher, voor zich uit starend. . . 'Wat raar om dat te zeggen.'

'O, ík heb 't niet gezegd. Dat deed rechercheur Trotter. Ik haat die man! Hij – hij brengt je dingen in je hoofd – dingen die niet waar zijn – die onmogelijk waar kunnen zijn.'

Ze bedekte haar ogen met haar handen. Heel zachtjes nam Christopher haar handen weg.

'Luister eens, Molly,' zei hij, 'wat betekent dit allemaal?'

Ze liet zich voorzichtig door hem in een stoel bij de keukentafel duwen. Zijn houding was niet langer hysterisch of kinderlijk.

'Wat is er aan de hand, Molly?' zei hij.

Molly keek hem aan – een lange, onderzoekende blik. Ze vroeg, niet erg toepasselijk:

'Hoe lang ken ik je al, Christopher? Twee dagen?'

'Zo ongeveer. Je zit erover te denken dat, ofschoon 't nog maar zo kort is, 't lijkt of we elkaar vrij goed kennen, hè?'

'Ja – dat is vreemd, vind je niet?'

'O, ik weet niet... Er is een soort sympathie tussen ons. Misschien omdat we allebei – in de narigheid hebben gezeten.'

Het was geen vraag. Het was de vaststelling van een feit. Molly ging er niet op in.

Ze zei heel rustig – en weer was het meer een vaststelling dan een vraag:

'Je naam is niet echt Christopher Wren, is 't wel?'

'Nee.'

'Waarom heb je –'

'Die naam gekozen? O, 't leek me wel een aardig grapje. Ze plachten me altijd uit te jouwen en noemden me Christopher Robin op school. Robin* – Wren – een gedachtenassociatie, denk ik.'

'Wat is je ware naam?'

Christopher zei kalm: 'Ik denk dat we daar maar niet op in zullen gaan... 't Zou je toch niets zeggen.

* Robin betekent roodborstje, Wren betekent winterkoninkje. Christopher Robin: hoofdfiguur uit Winnie de Poeh.

... Ik ben geen architect. Ik ben feitelijk een deserteur uit 't leger...'

Een moment kwam er een vluchtige blik van angst in Molly's ogen. Christopher zag het.

'Ja,' zei hij. 'Net als onze onbekende moordenaar. Ik heb je al gezegd dat ik de enige was op wie de omschrijving van toepassing was.'

'Doe niet zo mal,' zei Molly. 'Ik heb je toch gezegd dat ik niet geloofde dat jij de moordenaar was. Ga verder – vertel me over jezelf... Waarom ben je gedeserteerd – zenuwen?'

'Of ik bang was, bedoel je? Nee, eigenaardig genoeg was ik niet bang – dat is te zeggen, niet meer dan ieder ander. Ik had zelfs de reputatie dat ik erg kalm bleef onder vuur. Nee, 't was om iets heel anders. 't Was om – mijn moeder.'

'Je moeder?'

'Ja – ze werd gedood, zie je – bij een luchtaanval. Bedolven. Ze – ze moesten haar uitgraven. Ik weet niet wat er over me kwam, toen ik 't hoorde – ik geloof dat ik een beetje gek werd. Ik dacht maar dat 't *mij* overkomen was, zie je... Ik had 't gevoel dat ik snel naar huis moest en – en mezelf moest uitgraven – ik kan 't niet uitleggen – 't was allemaal zo verward.' Hij liet zijn hoofd in zijn handen zakken en sprak met verstikte stem. 'Ik heb lang rondgezworven op zoek naar haar – of naar mezelf – ik weet niet goed wat. En daarna, toen mijn geest weer was opgeklaard, durfde ik niet meer terug te gaan – of me te melden – ik wist dat ik 't nooit zou kunnen uitleggen... Sindsdien ben ik alleen maar – niemand geweest.'

Hij staarde haar aan, op zijn jonge gezicht lag wanhoop.

'Zo moet je 't niet voelen,' zei Molly vriendelijk. 'Je kunt weer opnieuw beginnen.'

'Kun je dat ooit?'

'Natuurlijk – je bent nog zo jong.'

'Ja, maar zie je – ik ben aan 't eind van alles.'

'Nee,' zei Molly. 'Je bent niet aan 't eind van alles, dat denk je maar. Ik geloof dat we allemaal wel minstens eens in ons leven dat gevoel hebben, – dat we aan 't eind zijn, dat we niet verder kunnen gaan.'

'Dat heb jij ook gehad, nietwaar, Molly? Je moet 't ook hebben gehad – om er zo over te kunnen spreken.'

'Ja.'

'Wat was 't bij jou?'

'Met mij ging 't als met zoveel mensen. Ik was verloofd met een jonge militaire vlieger – en hij werd gedood.'

'Kwam er nog iets anders bij?'

'Ik geloof van wel. Ik had een erge schok gehad, toen ik jonger was. Ik kwam in aanraking met iets erg wreeds en beestachtigs . . . 't gaf me de neiging te denken dat 't leven altijd – afschuwelijk was. Toen Jack werd gedood, versterkte dat me in mijn geloof dat 't hele leven wreed en verraderlijk was. . .'

'Ik begrijp 't. . . En toen, veronderstel ik,' zei Christopher, die haar gadesloeg, 'kwam Giles. . .'

'Ja,' hij zag de tedere, haast schuchtere glimlach die om haar mond speelde, 'toen kwam Giles – en alles was goed en veilig en gelukkig. . . Giles!'

De glimlach verdween van haar lippen. Haar gezicht was plotseling verslagen. Ze huiverde, als van kou.

'Wat scheelt eraan, Molly? Waar ben je bang voor? Je *bent* bang, hè?'

Ze knikte.

'En heeft 't iets met Giles te maken? Met iets dat hij heeft gezegd of gedaan?'

''t Is Giles eigenlijk niet, 't is die vreselijke man.'

'Welke vreselijke man?' Christopher was verbaasd. 'Paravicini?'

'Nee, *nee,* rechercheur Trotter.'

'Rechercheur Trotter?'

'Die maar dingen suggereert – op dingen wijst . . . die maar vreselijke gedachten over Giles bij mij doet rijzen – gedachten die ik niet dacht te kunnen hebben. O, ik haat hem – ik haat hem.'

Christopher trok langzaam, in verbazing, zijn wenkbrauwen op.

'Giles? *Giles?* Ja, natuurlijk, hij en ik zijn ongeveer even oud. Hij lijkt me veel ouder dan ik ben – maar ik denk dat hij dat niet is. Ja, de aanklacht zou even goed op Giles kunnen slaan. Maar luister eens, Molly, dat is toch onzin. Giles is hier bij jou geweest op de dag dat die vrouw in Londen werd vermoord.'

Molly gaf geen antwoord. Christopher keek haar scherp aan.

'Is hij *niet* hier geweest?'

Molly sprak ademloos, terwijl de woorden er in een onsamenhangend mengelmoesje uitkwamen.

'Hij is de hele dag weg geweest – in de auto – hij is de hele provincie door geweest voor een partij kippegaas, die daar van de hand werd gedaan – dat heeft hij tenminste gezegd – dat heb ik ook gedacht – totdat . . . totdat. . .'

'Totdat wat?'

Molly stak langzaam haar hand uit in de richting van de datum van de *Evening Standard,* die een gedeelte van de keukentafel bedekte.

Christopher keek ernaar en zei:

'De Londense editie van twee dagen geleden.'

'Die zat in Giles' zak, toen hij terugkwam. Hij – hij moet in Londen zijn geweest.'

Christopher stond daar maar te staren. Hij staarde naar de krant en hij staarde naar Molly. Hij spitste zijn lippen en begon te fluiten, hield toen plotseling in. Het gaf geen pas nu juist dat wijsje te fluiten. Terwijl hij zijn woorden voorzichtig formuleerde en vermeed haar aan te zien, zei hij:

'Wat weet je eigenlijk van – Giles?'

'Schei uit,' riep Molly. 'Schei uit! Dat zei die ellendige Trotter ook juist – of zinspeelde erop. Dat vrouwen dikwijls niets wisten van de mannen met wie ze trouwden – vooral in oorlogstijd. Ze – ze namen maar aan wat de man over zichzelf vertelde. . .'

'Dat is volkomen waar, geloof ik.'

'Zeg *jij* dat nu ook niet! Ik kan 't niet verdragen. 't Komt alleen doordat we allemaal zo zenuwachtig zijn, zo geprikkeld. We zouden – we zouden *iedere* fantastische veronderstelling gaan geloven – 't Is niet waar! Ik –'

Ze zweeg. De keukendeur was opengegaan.

Giles kwam binnen. Zijn gezicht had een tamelijk grimmige uitdrukking.

'Kom ik ongelegen?' vroeg hij.

Christopher gleed van de tafel.

'Ik ben alleen een paar kooklessen aan 't nemen,' zei hij.

'Heus? Nu, luister eens, Wren, tête-à-têtes zijn geen erg gezonde bezigheid op 't ogenblik. Je blijft maar uit de keuken, versta je?'

'O, maar heus –'

'Je blijft uit de buurt van mijn vrouw, Wren. Ze zal niet 't volgende slachtoffer zijn.'

'Daar maak ik me nu juist zorgen over,' zei Christopher.

Als er al enige betekenis achter zijn woorden stak, merkte Giles het klaarblijkelijk toch niet. Hij werd alleen nog een tintje donkerder rood.

'Die zorgen zal ik me wel maken,' zei hij. 'Ik kan wel op mijn eigen vrouw passen. Donder op!'

Molly zei met heldere stem:

'Ga alsjeblieft, Christopher. Ja – heus.'

Christopher liep langzaam naar de deur.

'Ik zal niet ver weg gaan,' zei hij, en de woorden waren tot Molly gericht en hadden een heel duidelijke betekenis.

'*Ga* je nu weg of niet?'

Christopher giechelde op een kinderlijke hoge toon.

'Ei, ei, commandant,' zei hij.

De deur ging achter hem dicht. Giles wendde zich tot Molly.

'In 's hemelsnaam, Molly, heb je dan geen hersens? Alleen hier te zitten met de deur dicht met een gevaarlijke, moordzuchtige maniak!'

'Hij is de –' ze veranderde haastig de zin – 'hij is niet gevaarlijk. In elk geval pas ik wel op. Ik kan – wel op mezelf passen.'

Giles lachte onaangenaam.

'Dat kon mevrouw Boyle ook.'

'O, Giles, *schei uit*.'

''t Spijt me, liefje. Maar ik ben zo ontdaan. Die ellendige jongen. Ik begrijp niet wat je in hem ziet.'

Molly zei langzaam: 'Ik heb met hem te doen.'

'Te doen met een moordzuchtige gek?'

Molly wierp hem een eigenaardige blik toe.

'Ik zou zelfs met een moordzuchtige gek nog wel te doen kunnen hebben,' zei ze.

'En je noemt hem nog Christopher ook. Sinds wanneer noemen jullie elkaar bij de voornaam?'

'O, Giles, stel je niet aan. Iedereen noemt iedereen tegenwoordig bij de voornaam. Je weet dat 't zo is.'

'Zelfs al na een paar dagen? Maar misschien is 't langer dan dat. Misschien heb je meneer Christopher Wren, de raadselachtige architect, al gekend voordat hij hier kwam? Misschien heb jij hem wel *voorgesteld* om hierheen te komen? Misschien hebben jullie 't allemaal onder elkaar bekokstoofd?'

Molly keek hem verbaasd aan.

'Giles, ben je gek geworden? Wat haal je in vredesnaam in je hoofd?'

'Ik haal in mijn hoofd dat Christopher Wren een oude vriend is, dat je in nauwere connectie tot hem staat dan je wilde dat ik zou weten.'

'Giles, je moet wel stapelgek zijn.'

'Ik veronderstel dat je zult volhouden dat je hem nooit had gezien voordat hij hier binnenkwam. Wel vreemd dat hij op zo'n afgelegen plaats als hier zou komen logeren, vind je niet?'

'Is 't vreemder dan dat majoor Metcalf en – en mevrouw Boyle dat zouden doen?'

'Ja – dat geloof ik wel... Ik heb altijd gelezen dat die prevelende gekken een eigenaardige aantrekkingskracht voor vrouwen hebben. 't Ziet ernaar uit dat 't waar is. Hoe heb je hem leren kennen? Hoe lang is dit al aan de gang?'

'Je bent gewoon niet wijs, Giles. Ik heb Christopher Wren nooit gezien voor hij hier kwam.'

'Ben je dan niet naar Londen geweest twee dagen geleden om hem te ontmoeten en af te spreken dat je elkaar hier als vreemden zou begroeten?'

'Je weet heel goed, Giles, dat ik in geen weken in Londen ben geweest.'

'Niet? Dat is interessant.' Hij viste een met bont afgezette handschoen uit zijn zak op en hield haar die voor. 'Dit is een van de handschoenen die je eergisteren aanhad, nietwaar? De dag dat ik daarginds naar Sailham was om 't kippegaas te halen.'

'De dag dat *jij* naar Sailham was om 't kippegaas te halen,' zei Molly, terwijl ze hem strak aankeek. 'Ja, ik droeg deze handschoenen toen ik uit ben geweest.'

'Jij was naar 't dorp geweest, zei je. Als je alleen naar 't dorp bent geweest, wat doet dit dan in die handschoen?'

Hij hield haar beschuldigend een rose buskaartje voor.

Er was een ogenblik stilte.

'Je bent naar Londen geweest,' zei Giles.

'Goed,' zei Molly, met haar kin in de lucht. 'Ik *ben* naar Londen geweest.'

'Om die vent Christopher Wren te ontmoeten.'

'Nee, niet om Christopher te ontmoeten.'

'Waarom ben je er dan heen gegaan?'

'Voor het ogenblik ben ik niet van plan, Giles,' zei Molly, 'je dat te vertellen.'

'Dat betekent dat je jezelf tijd wilt geven om een goed

verhaaltje te verzinnen.'

'Ik geloof,' zei Molly – 'dat ik je haat!'

'Ik haat jou niet,' zei Giles langzaam. 'Maar ik zou haast wensen dat ik 't wel deed. . . Ik heb alleen 't gevoel dat – ik je niet meer ken. . . Ik weet niets van je. . .'

'Ik heb hetzelfde gevoel,' zei Molly. 'Je – je bent gewoon een vreemde. Een man die tegen me liegt –'

'Wanneer heb ik ooit tegen je gelogen?'

Molly lachte.

'Denk je dat ik dat verhaaltje van jou over dat kippegaas geloof?. . . *Jij* bent die dag ook in Londen geweest. . .'

'Ik denk dat je me daar gezien hebt,' zei Giles. 'En je hebt me niet genoeg vertrouwd –'

'Je vertrouwd? Ik zal nooit – iemand – meer vertrouwen. . .'

Geen van hen had gemerkt dat de keukendeur zachtjes openging. Meneer Paravicini kuchte even.

'Wat pijnlijk,' mompelde hij. 'Ik hoop maar dat jullie jonge mensen niet allebei meer zeggen dan je zou willen? Daar ben je zo gauw toe geneigd bij zulke ruzies tussen geliefden.'

'Ruzies tussen geliefden,' zei Giles spottend. 'Die is goed.'

'Kom, kom,' zei meneer Paravicini. 'Ik weet precies hoe je je voelt. Ik heb dat zelf ook meegemaakt toen ik jonger was. Maar wat ik wilde komen zeggen, was dat die inspecteurspersoon er beslist op staat dat we allen naar de salon komen. Hij schijnt een idee te hebben.'

Meneer Paravicini grinnikte zachtjes.

'De politie is op een spoor – ja, dat hoort men dikwijls. Maar een *idee?* Dat betwijfel ik ten zeerste. Ongetwijfeld een ijverig en nauwgezet ambtenaar, onze rechercheur Trotter, maar ik geloof niet iemand met overmatig veel hersens.'

'Ga jij maar, Giles,' zei Molly. 'Ik moet op 't eten letten. Rechercheur Trotter kan 't wel zonder mij af.'

'Over eten gesproken,' zei meneer Paravicini, terwijl hij kwiek door de keuken naar Molly toehuppelde, 'hebt u weleens kippelever op toast geprobeerd, dik besmeerd met *foie gras,* en belegd met een heel dun plakje ham met Franse mosterd?'

'Je ziet tegenwoordig niet veel *foie gras,'* zei Giles. 'Kom mee, Paravicini.'

'Zal ik blijven en u helpen, waarde dame?'

'Je gaat mee naar de salon, Paravicini,' zei Giles.

Meneer Paravicini lachte zachtjes.

'Uw man is bezorgd voor u. Heel natuurlijk. Hij voelt niet voor 't denkbeeld dat hij u met *mij* alleen zou laten. Hij is bang voor mijn sadistische neigingen – niet voor mijn oneerbare. Ik buig voor de overmacht.' Hij boog gracieus en wierp Molly kushandjes toe.

Molly zei, slecht op haar gemak: 'O, meneer Paravicini, ik weet zeker –'

Meneer Paravicini schudde het hoofd. Hij zei tegen Giles:

'Je bent heel verstandig, jongeman. *Neem geen risico.* Kan ik je bewijzen – of wat dat betreft de inspecteur – dat ik geen moordzuchtige maniak ben? Nee, dat kan ik niet. Ontkenningen zijn zo moeilijk te bewijzen.'

Hij neuriede opgewekt. Molly kromp ineen.

'Alstublieft, meneer Paravicini – niet dat afschuwelijke wijsje.'

' "Drie Blinde Muizen" – dat was 't! Ik heb 't wijsje in mijn hoofd. Nu ik erover nadenk is 't wel een griezelig rijmpje. Helemaal geen aardig rijmpje. Maar kinderen houden van griezelige dingen. Dat hebt u misschien weleens gemerkt? Dat rijmpje is erg Engels – 't herderlijke wrede Engelse platteland. *Ze sneed hun de staart met een vleesmes van het lijf.* Natuurlijk vindt een kind dat prachtig. Ik zou u dingen over kinderen kunnen vertellen –'

'Alstublieft niet,' zei Molly zwakjes. 'Ik geloof dat u ook wreed bent.' Haar stem schoot hysterisch uit. 'U lacht en glimlacht – u bent net als een kat die met een muis speelt . . . speelt. . .'

Ze begon te lachen.

'Kalm, Molly,' zei Giles. 'Kom mee, we zullen allemaal samen naar de salon gaan. Trotter zal wel ongeduldig worden. Laat dat eten maar zitten. Moord is belangrijker dan eten.'

'Ik geloof niet dat ik 't met u eens ben,' zei meneer Paravicini, terwijl hij hen volgde met kleine huppelende pasjes. ' "De veroordeelde at een stevig ontbijt" – wordt er altijd gezegd.'

4

Christopher Wren voegde zich in de hal bij hen, waarbij Giles hem dreigend aankeek. Hij wierp een vlugge, onderzoekende blik op Molly, maar Molly liep met haar hoofd omhoog strak voor zich uit te kijken.

Ze liepen haast als in processie naar de salon. Meneer Paravicini vormde de achterhoede met zijn kleine huppelende pasjes.

Rechercheur Trotter en majoor Metcalf stonden in de salon te wachten. De majoor stond gemelijk te kijken. Rechercheur Trotter zag er blozend en krachtig uit.

'Mooi zo,' zei hij, toen ze binnenkwamen. 'Ik wilde u allemaal bij elkaar hebben. Ik wil een bepaald experiment uitvoeren – en daar zal ik uw medewerking bij nodig hebben.'

'Zal 't lang duren?' vroeg Molly. 'Ik heb nog wel een en ander in de keuken te doen. We zullen tenslotte toch weleens moeten eten.'

'Ja,' zei Trotter. 'Dat stel ik zeer op prijs, mevrouw Davis. Maar, als u me niet kwalijk wilt nemen, er zijn nog belangrijker zaken dan maaltijden! Mevrouw Boyle bij voorbeeld, zal geen maaltijd meer nodig hebben.'

'Rechercheur,' zei majoor Metcalf, 'dit is heus een buitengewoon ontactische manier van spreken.'

''t Spijt me, majoor Metcalf, maar ik wil dat iedereen hierbij meewerkt.'

'Hebt u uw ski's al gevonden, rechercheur Trotter?' vroeg Molly.

De jongeman bloosde.

'Nee, dat heb ik niet, mevrouw Davis. Maar ik kan wel zeggen dat ik een heel sterk vermoeden heb wie ze heeft weggenomen. En waarom ze zijn weggenomen. Meer zal ik op 't ogenblik niet zeggen.'

'Alstublieft niet,' verzocht meneer Paravicini. 'Ik vind altijd dat verklaringen voor 't slot bewaard moeten worden – dat opwindende laatste hoofdstuk, snapt u.'

'Dit is geen spelletje, meneer.'

'Niet? Nu, ik geloof niet dat u daarin gelijk hebt. Ik geloof dat 't wel degelijk een spelletje is – voor iemand.'

'De *moordenaar* vindt 't zelf grappig,' prevelde Molly.

De anderen keken haar verbaasd aan. Ze bloosde.

'Ik herhaal alleen wat rechercheur Trotter tegen me heeft gezegd.'

Rechercheur Trotter keek niet erg verheugd.

''t Is allemaal erg leuk dat meneer Paravicini 't over laatste hoofdstukken heeft en praat alsof dit een sensatieroman is,' zei hij. 'Maar dit is werkelijkheid. Dit gebeurt echt.'

'Zolang 't mij maar niet gebeurt,' zei Christopher Wren, terwijl hij behoedzaam zijn hals betastte.

'Kom nou,' zei majoor Metcalf. 'Geen praatjes, jongeman. De rechercheur hier zal ons vertellen wat hij nu wil dat we doen.'

Rechercheur Trotter schraapte zijn keel. Zijn stem werd officieel.

'Kort geleden nam ik u allen bepaalde verklaringen af,' zei hij. 'Die verklaringen betroffen uw posities gedurende de tijd dat de moord op mevrouw Boyle plaatsvond. Meneer Wren en meneer Davis waren in hun respectievelijke slaapkamers. Mevrouw Davis was in de keuken. Majoor Metcalf was in de kelder. Meneer Paravicini was hier in deze kamer...'

Hij wachtte even en ging toen verder.

'Dit zijn de verklaringen die u hebt afgelegd. Ik heb geen middelen om die verklaringen te controleren. Ze kunnen waar zijn – ze kunnen ook niet waar zijn. Om 't duidelijk te stellen – vier van deze verklaringen zijn waar – maar *een ervan is vals*. Welke?'

Hij keek van de een naar de ander. Niemand sprak.

'Vier van u spreken de waarheid – één liegt. Ik heb een plan dat misschien kan helpen om de leugenaar te ontdekken. En als ik ontdek dat iemand van u tegen me heeft gelogen – dan weet ik wie de moordenaar is.'

Giles zei scherp:

'Niet noodzakelijk. Iemand kan wel hebben gelogen – om een andere reden.'

'Dat betwijfel ik zeer, meneer Davis.'

'Maar man, wat wil je dan? Je hebt zojuist gezegd dat je geen middelen hebt om die verklaringen te controleren?'

'Nee, maar veronderstel dat iedereen dat alles nog eens deed.'

'Bah,' zei majoor Metcalf kleinerend. 'Reconstructie van de misdaad. Vreemd idee.'

'Geen reconstructie van de *misdaad,* majoor Metcalf. Een reconstructie van de bewegingen van op 't oog onschuldige mensen.'

'En wat denkt u daarmee te weten te komen?'

'U zult me wel niet kwalijk nemen dat ik dat op dit ogenblik nog niet uitleg.'

'U wilt een reprise?' vroeg Molly.

'Min of meer, mevrouw Davis.'

Er viel een stilte. Het was op de een of andere manier een pijnlijke stilte.

Het is een val, dacht Molly. Het is een val . . . maar ik zie niet in *hoe*. . .

Men zou hebben kunnen denken dat er vijf schuldigen in de kamer waren in plaats van één schuldige en vier onschuldigen. Allen zonder uitzondering wierpen tersluikse blikken op de zelfverzekerd glimlachende jongeman die deze onschuldig lijkende manoeuvre voorstelde.

Christopher barstte op schrille toon los:

'Maar ik begrijp niet – ik kan eenvoudig niet begrijpen – dat u ook maar iets kunt hopen te ontdekken – alleen maar door de mensen hetzelfde te laten doen wat ze tevoren hebben gedaan. 't Lijkt me gewoonweg idioot!'

'Vindt u, meneer Wren?'

'Natuurlijk,' zei Giles langzaam, 'zal gebeuren wat u zegt, rechercheur. We zullen meewerken. Moeten we allemaal precies doen wat we tevoren hebben gedaan?'

'Ja, dezelfde handelingen moeten worden uitgevoerd.'

Een zweem van dubbelzinnigheid in deze zin deed majoor Metcalf plotseling opkijken. Rechercheur Trotter ging door:

'Meneer Paravicini heeft ons verteld dat hij aan de piano zat en een bepaald wijsje speelde. Misschien zou u zo vriendelijk willen zijn ons precies te laten zien wat u inderdaad hebt gedaan, meneer Paravicini?'

'Maar natuurlijk, waarde rechercheur.'

Meneer Paravicini huppelde kwiek de kamer door naar de vleugel en nam plaats op het pianokrukje.

'De *maestro* aan de piano zal de herkenningsmelodie voor een moord spelen,' zei hij met een groots gebaar.

Hij grinnikte en speelde met omstandige gemaaktheid met één vinger het wijsje van 'Drie Blinde Muizen'. . .

Hij vindt het grappig, dacht Molly. *Hij vindt het grappig. . .*

In de grote kamer hadden de zachte, gedempte tonen een bijna lugubere uitwerking. . .

'Dank u, meneer Paravicini,' zei rechercheur Trotter. 'Ik neem aan dat u 't wijsje *precies* zo speelde bij – die andere gelegenheid?'

'Ja, rechercheur, zo is 't. Ik heb 't driemaal herhaald.'

Rechercheur Trotter wendde zich tot Molly.

'Speelt u piano, mevrouw Davis?'

'Ja, rechercheur Trotter.'

'Zou u 't wijsje op 't gehoor kunnen spelen net als meneer Paravicini heeft gedaan en op precies dezelfde manier?'

'Ja, dat kan ik wel.'

'Wilt u dan aan de piano gaan zitten en u klaar houden om dat te doen, als ik 't teken daartoe geef?'

Molly keek een beetje verbijsterd. Toen liep ze langzaam naar de piano.

Meneer Paravicini rees van het pianokrukje op met een scherp protest.

'Maar rechercheur, ik heb begrepen dat we onze vroegere rollen moesten spelen. *Ik* heb hier aan de piano gezeten.'

'Dezelfde handelingen moeten uitgevoerd worden als bij de vorige gelegenheid – *maar ze behoeven niet noodzakelijk door dezelfde personen te worden uitgevoerd.*'

'Ik – zie daar 't nut niet van in,' zei Giles.

''t *Heeft* zijn nut, meneer Davis. 't Is een manier om de originele verklaringen te controleren – en ik mag wel zeggen één verklaring in 't bijzonder. Nu dan, wilt u zo goed zijn? Ik zal u uw verschillende plaatsen aanwijzen. Mevrouw Davis zal hier zitten – aan de piano. Meneer Wren, wilt u zo vriendelijk zijn naar de keuken te gaan? Houd even een oogje op 't eten van mevrouw Davis. Meneer Paravicini, wilt u naar de slaapkamer van meneer Wren gaan? Daar kunt u dan uw muzikale talenten botvieren door "Drie Blinde Muizen" te fluiten, net zoals hij heeft gedaan. Majoor Metcalf, wilt u naar boven, naar de slaapkamer van meneer Davis, gaan en daar de telefoon nakijken? En u, meneer Davis, wilt u in de kast in de hal kijken en dan naar beneden, naar de kelder, gaan?'

Er viel een ogenblik stilte. Daarna begaven vier mensen zich langzaam naar de deur. Trotter volgde hen. Hij keek achterom.

'Telt u tot vijftig en begint u dan te spelen, mevrouw Davis,' zei hij.

Hij volgde de anderen de kamer uit. Voor de deur dichtviel, hoorde Molly de stem van meneer Paravicini, die op schelle toon zei:

'Ik heb nooit geweten dat de politie zo dol op gezelschapsspelletjes was. . .'

5

'Achtenveertig, negenenveertig, vijftig.'

Gehoorzaam begon Molly, toen ze klaar was met tellen, te spelen. . .

Weer klonk het zachte, verschrikkelijke wijsje door de grote resonerende kamer. . .

Drie Blinde Muizen
Ziet hoe ze rennen. . .

Molly voelde haar hart steeds sneller gaan kloppen. Zoals Paravicini had gezegd was het een vreemd, obsederend en gruwelijk versje. Het had het kinderlijke onbegrip voor medelijden dat bij een volwassene zo schrikwekkend is.

Heel zwak kon ze hetzelfde wijsje horen fluiten in de slaapkamer daar boven. . . Paravicini, die de rol van Christopher Wren speelde.

Plotseling ging de radio aan in de bibliotheek naast haar. Rechercheur Trotter moest hem hebben aangezet. Hij speelde dus zelf de rol van mevrouw Boyle. . .

Maar waarom? Waartoe diende dit alles? Waar stond de val? Want dat er een val was, daar was ze zeker van. . .

Een koude luchtstroom blies door de kamer en achter in haar nek. Ze draaide snel haar hoofd om. De deur was toch opengegaan? Was er iemand de kamer ingekomen. . .? Nee, de kamer was leeg. Maar plotseling voelde ze zich zenuwachtig – bang. *Als* er eens iemand binnenkwam. Veronderstel dat meneer Paravicini de deur zou binnenhuppelen, naar de piano zou komen, terwijl zijn lange vingers rukten en wrongen . . .

'Dus u bent uw eigen begrafenismars aan 't spelen, waarde dame, een goede gedachte. . .'

Onzin – wees niet zo stom – haal je niets in je hoofd. . . Je kunt hem bovendien boven je hoofd horen fluiten. Net zoals hij jou kan horen.

Ze had bijna haar vingers van de piano genomen, toen dit idee bij haar opkwam! Niemand *had* meneer Paravicini horen spelen. Was dat de val? Was het misschien mogelijk dat meneer Paravicini helemaal niet had zitten spelen? Dat hij niet in de salon was geweest, maar in de bibliotheek? In de bibliotheek, bezig mevrouw Boyle te wurgen. . .

Hij was boos geweest, erg boos, toen Trotter het zo had geregeld dat zij moest spelen. Hij had er de nadruk op gelegd hoe zacht hij het wijsje had gespeeld. Natuurlijk had hij expres zo de nadruk op die zachtheid gelegd, in de hoop dat het te zacht zou zijn om buiten de kamer gehoord te kunnen worden. Want als iemand het dit keer had gehoord, die het de vorige keer niet had gehoord – nu, dan zou Trotter krijgen wat hij hebben wilde – *de persoon die gelogen had.*

De deur van de salon ging open. Molly, die er helemaal op gespitst was Paravicini te verwachten, begon bijna te gillen. Maar het was alleen maar rechercheur Trotter die binnenkwam, net toen ze klaar was met de derde herhaling van het wijsje.

'Dank u, mevrouw Davis,' zei hij.

Hij zag er zeer zelfvoldaan uit en zijn optreden was levendig en vol zelfvertrouwen.

Molly nam haar handen van de toetsen.

'Hebt u ontdekt wat u wilde?' vroeg ze.

'Ja, inderdaad.' Zijn stem was triomfantelijk. 'Ik heb precies gekregen wat ik wilde.'

'Welke? Wie?'

'Weet u het niet, mevrouw Davis? Kom nou – 't is toch niet zo moeilijk. Tussen haakjes, u bent, als ik 't zo zeggen mag, buitengewoon dom geweest. U hebt 't aan mij overgelaten 't derde slachtoffer op te sporen.

Als resultaat hebt u in ernstig gevaar verkeerd.'

'Ik? Ik weet niet wat u bedoelt.'

'Ik bedoel dat u niet eerlijk tegen me bent geweest, mevrouw Davis. U hebt iets voor me achtergehouden – net als mevrouw Boyle iets voor me had achtergehouden.'

'Ik begrijp u niet.'

'O ja, dat doet u wel. Toen ik 't voor 't eerst over de zaak van Longridge Farm had, *wist u er alles van*. O ja, dat is zo. U was van streek. En u bevestigde ook dat mevrouw Boyle de inkwartieringsambtenaar was geweest voor dit deel van de streek. U en zij kwamen allebei uit deze buurt. Dus toen ik erover begon na te denken wie waarschijnlijk 't derde slachtoffer zou zijn, was u meteen de aangewezen persoon voor mij. U had laten merken dat u goed op de hoogte was van de zaak van Longridge Farm. Wij politiemannen zijn niet zo dom als we er uitzien, ziet u.'

Molly zei zachtjes:

'U begrijpt 't niet. Ik wilde er niet aan herinnerd worden.'

'Dat kan ik begrijpen.' Zijn stem veranderde een beetje. 'Uw meisjesnaam was Wainwright, nietwaar?'

'Ja.'

'En u bent iets ouder dan u voorgeeft te zijn. In 1940, toen dit plaatsvond, was u onderwijzeres aan de Abbeyvale School.'

'Nee!'

'O ja, dat was u wel, mevrouw Davis.'

'Dat was ik niet, zeg ik u.'

''t Kind dat gestorven is, slaagde erin een brief voor u te posten. Hij stal een postzegel. In die brief smeekte hij om hulp – hulp van zijn vriendelijke onderwijzeres. 't Is de taak van een onderwijzeres te onderzoeken waarom een kind niet naar school komt. U hebt dat niet onderzocht. U nam geen notitie van de brief van de arme stumper.'

'Stil.' Molly's wangen brandden. 'U spreekt over

mijn zuster. Zij was de schooljuffrouw. En ze heeft de brief niet genegeerd. Ze was ziek – longontsteking. Ze heeft de brief pas gezien nadat 't kind dood was. Ze was er totaal door van streek – totaal – ze was een vreselijk gevoelig persoontje. Maar 't was niet haar schuld. Omdat ze 't zich zo ontzettend heeft aangetrokken, heb ik 't nooit kunnen verdragen eraan herinnerd te worden. 't Is altijd een nachtmerrie voor me geweest.'

Molly bracht haar handen voor haar gezicht en bedekte haar ogen. Toen ze ze weer liet zakken, stond Trotter haar aan te staren.

Hij zei zacht:

'Dus 't was uw zuster. . . Nou, tenslotte' – hij glimlachte plotseling op een vreemde manier, 'doet 't er ook niet veel toe, vindt u wel? *Uw* zuster – en *mijn* broer. . .'

Hij haalde iets uit zijn zak. Hij glimlachte nu blij.

Molly keek naar het voorwerp in zijn hand.

'Ik heb altijd gedacht dat de politie geen revolvers droeg,' zei ze.

'De politie draagt ze niet. . .' zei de jongeman.

Hij ging door:

'Maar, ziet u, mevrouw Davis, *ik ben geen politieman.* Ik ben Jim. Ik ben Georgies broer. U dacht dat ik een politieman was, omdat ik vanuit de telefooncel in 't dorp opbelde en zei dat rechercheur Trotter op weg was. Daarna sneed ik, toen ik hier aankwam, de telefoondraden door buiten 't huis, zodat u niet in staat zou zijn 't politiebureau op te bellen. . .'

Molly staarde hem aan. De revolver wees nu naar haar.

'Beweeg u niet, mevrouw Davis – en schreeuw niet – of ik zal de trekker meteen overhalen. . .'

Hij stond nog steeds te glimlachen. Het was, zoals Molly met afgrijzen gewaarwerd, de glimlach van een kind . . . en zijn stem, toen hij sprak, werd de stem van een kind.

'Ja,' zei hij, 'ik ben Georgies broer. Georgie is op Longridge Farm gestorven. Die akelige vrouw heeft ons daarheen gestuurd en de vrouw van de boer was wreed voor ons en u wilde ons niet helpen . . . drie kleine blinde muizen. Toen heb ik gezegd dat ik jullie allemaal zou doden als ik groot was. Ik meende 't. Ik heb er sindsdien altijd aan gedacht.'

Hij fronste plotseling het voorhoofd.

'Ze maakten 't me erg lastig in 't leger – die dokter bleef me maar vragen stellen . . . ik moest weg zien te komen . . . ik was bang dat ze me wilden afhouden van wat ik wilde doen. Maar nu ben ik volwassen. Volwassenen kunnen doen wat ze willen.'

Molly vermande zich. Praat met hem, zei ze in zichzelf. Leid zijn aandacht af.

'Maar luister eens, Jim,' zei ze. 'Je zult nooit veilig wegkomen.'

Zijn gezicht betrok.

'Iemand heeft mijn ski's verstopt. Ik kan ze niet vinden.' Hij lachte. 'Maar ik geloof dat 't toch wel in orde komt. 't Is de revolver van uw man. Ik heb hem uit zijn la gehaald. Ze zullen zeker denken dat *hij* u heeft doodgeschoten. In elk geval – 't kan me niet veel schelen. 't Is alles bij elkaar – erg grappig geweest. Wat een komedie! Die vrouw in Londen, haar gezicht toen ze me herkende. Die domme vrouw vanmorgen!'

Hij knikte goedkeurend.

Toen klonk er duidelijk gefluit. Het had een luguber effect. Iemand floot het wijsje van 'Drie Blinde Muizen'. . .

Trotter schrok op, de revolver zwaaide weifelend – een stem schreeuwde: 'Laat u vallen, mevrouw Davis.'

Molly liet zich op de vloer vallen, toen majoor Metcalf, die uit zijn schuilplaats achter de sofa bij de deur oprees, zich op Trotter wierp. De revolver ging af – en de kogel sloeg in een van de zeer matige olieverfschilderijen die de overleden juffrouw Emory zo dierbaar waren geweest.

Even later was het een hels lawaai – Giles kwam binnenhollen, gevolgd door Christopher en meneer Paravicini.

Majoor Metcalf sprak in kort afgebeten zinnen, terwijl hij Trotter in zijn greep hield.

'Kwam binnen toen u aan 't spelen was – dook achter de sofa – ik heb hem van 't begin af in de gaten gehad – dat is te zeggen, ik wist dat hij geen politieambtenaar was. *Ik* ben politieambtenaar – inspecteur Tanner. We spraken met Metcalf af dat ik zijn plaats zou innemen. Scotland Yard vond 't raadzaam iemand ter plaatse te hebben. En nu, mijn jongen' – hij sprak heel vriendelijk tot de nu volgzame Trotter – 'ga jij met mij mee... Niemand zal je kwaad doen. Je bent veilig. We zullen op je passen.'

Met een zielig kinderlijke stem vroeg de gebruinde jongeman:

'Zal Georgie niet boos op me zijn?'

Metcalf zei: 'Nee, Georgie zal niet boos op je zijn.'

Hij mompelde tegen Giles, toen hij langs hem ging: 'Stapelgek, arme drommel.'

Ze gingen samen weg. Meneer Paravicini tikte Christopher Wren op de arm.

'Jij ook, vriendje,' zei hij, 'ga met me mee.'

Toen Giles en Molly alleen waren, keken ze elkander aan. Het volgende moment lagen ze in elkaars armen.

'Lieveling,' zei Giles, 'weet je zeker dat hij je geen pijn heeft gedaan?'

'Ja, ja, ik ben volkomen in orde, Giles, ik ben zo vreselijk in de war geweest. Ik dacht bijna dat jij – waarom ben je die dag naar Londen geweest?'

'Lieveling, ik wilde een verjaardagscadeautje voor je kopen, voor morgen. Ik wilde niet dat je 't zou weten.'

'Wat merkwaardig! *Ik* ben naar Londen gegaan om

een cadeautje voor *jou* te kopen en ik wilde niet dat jij 't zou weten.'

'Ik was krankzinnig jaloers op die neurotische idioot. Ik moet wel gek zijn geweest – vergeef me, lieveling.'

De deur ging open en meneer Paravicini huppelde op zijn geitachtige manier naar binnen. Hij straalde.

'Stoor de verzoening – Zo'n aardig tafereeltje – Maar helaas, ik moet afscheid van u nemen. Een politiejeep is erin geslaagd erdoor te komen. Ik zal hen overreden me mee te nemen.' Hij boog naar voren en fluisterde geheimzinnig in Molly's oor: 'Ik zal misschien binnenkort wat moeilijkheden krijgen – maar ik vertrouw dat ik de zaken kan regelen, en als u soms een pak ontvangt – met een gans of laten we zeggen, een kalkoen, een paar blikjes *foie gras,* een ham – en wat nylon kousen – Nu, dan begrijpt u wel dat 't met mijn complimenten aan een heel lieftallige dame is. Meneer Davis, mijn cheque ligt op 't haltafeltje.'

Hij kuste Molly's hand en huppelde naar de deur.

'Nylons?' murmelde Molly. *'Foie gras?* Wie is die meneer Paravicini? Sinterklaas?'

'Van 't zwarte-markttype, vermoed ik,' zei Giles.

Christopher Wren stak bedeesd zijn hoofd om de deur.

'Lieve mensen,' zei hij, 'ik hoop dat ik niet stoor, maar er komt een erge brandlucht uit de keuken. Moet ik er iets aan *doen?'*

Met de angstige kreet: *'Mijn pastei!'* vloog Molly de kamer uit.

Moord met het meetlint

Juffrouw Politt lichtte de klopper op en klopte bescheiden op de deur van het villaatje. Na een passende pauze klopte ze opnieuw. Het pakje onder haar linkerarm verschoof een beetje toen ze dat deed en ze schoof het weer op zijn plaats. In het pakje zat de nieuwe groene winterjurk van mevrouw Spenlow, pasklaar. Aan juffrouw Politts linkerhand bungelde een zwart zijden tasje, waarin zich een meetlint, een speldenkussen en een handige grote schaar bevonden.

Juffrouw Politt was lang en mager, met een steekneus, samengeknepen lippen en dun, grauw haar. Ze aarzelde voor ze de klopper voor de derde keer ter hand nam. Toen ze de straat afkeek, zag ze iemand snel naderbij komen. Juffrouw Hartnell, vrolijk, verweerd, vijfenvijftig jaar oud, riep met haar zoals gewoonlijk luide basstem: 'Goedemiddag, juffrouw Politt!'

De naaister antwoordde: 'Goedemiddag, juffrouw Hartnell.' Haar stem was erg schraal en beschaafd van uitspraak. Ze was in het leven begonnen als kamenier. 'Neem me niet kwalijk,' ging ze verder, 'maar weet u misschien ook of mevrouw Spenlow soms niet thuis is?'

'Ik heb er niet 't minste idee van,' zei juffrouw Hartnell.

' 't Is nogal vervelend, ziet u. Ik moest vanmiddag mevrouw Spenlows nieuwe japon passen. Half vier, heeft ze gezegd.'

Juffrouw Hartnell keek op haar polshorloge. ' 't Is nu al iets over half.'

'Ja. Ik heb drie keer geklopt, maar er wordt niet opengedaan, dus vroeg ik me af of mevrouw Spenlow misschien zou zijn uitgegaan en 't vergeten is. In de regel vergeet ze de afspraken niet en ze wil de jurk overmorgen dragen.'

Juffrouw Hartnell kwam het hek in en liep het pad op, naar juffrouw Politt toe, bij de buitendeur van Laburnam Cottage.

'Waarom zou Gladys niet opendoen?' vroeg ze. 'O nee, natuurlijk, 't is donderdag – Gladys' uitgaansdag. Ik denk dat mevrouw Spenlow in slaap is gevallen. Ik denk dat u niet genoeg lawaai hebt gemaakt met dat ding.'

Terwijl ze de klopper greep, sloeg ze een oorverdovende roffel ermee en bonsde ten overvloede ook nog op de panelen van de deur. Ze riep ook met een stentorstem: 'Hela, daarbinnen!'

Er kwam geen antwoord.

Juffrouw Politt prevelde: 'Nu, ik denk dat mevrouw Spenlow 't wel vergeten zal zijn en uitgegaan is. Ik zal wel een andere keer langskomen.' Ze begon langzaam het pad af te lopen.

'Onzin,' zei juffrouw Hartnell beslist. 'Ze kan niet zijn uitgegaan. Dan zou ik haar zijn tegengekomen. Ik zal eens door de ramen kijken of ik enig teken van leven kan ontdekken.'

Ze lachte op haar gewone hartelijke wijze om te tonen dat het maar een grapje was, en wierp een vluchtige blik door de dichtstbijzijnde vensterruit – vluchtig, omdat ze heel goed wist dat de voorkamer zelden werd gebruikt, daar meneer en mevrouw Spenlow liever in de kleine zitkamer aan de achterkant zaten.

Al was het dan vluchtig, ze bereikte haar doel. Juffrouw Hartnell zag weliswaar geen teken van leven. Integendeel, ze zag door het raam dat mevrouw Spenlow op het haardkleedje lag – dood.

'Natuurlijk,' zei juffrouw Hartnell toen ze later het

verhaal vertelde, 'slaagde ik erin mijn kalmte te bewaren. Dat mens van Politt zou niet de minste notie hebben gehad wat ze zou moeten doen. "We moeten kalm blijven," zei ik tegen haar. "*U* blijft hier en ik zal naar agent Palk gaan." Ze zei iets van niet alleen gelaten willen worden, maar ik schonk er helemaal geen aandacht aan. Je moet beslist optreden tegenover dat soort mensen. Ik heb altijd ondervonden dat ze dolgraag poppenkast maken. Ik stond dus net op 't punt weg te gaan, toen op hetzelfde moment meneer Spenlow om de hoek van 't huis kwam.'

Hier hield juffrouw Hartnell een betekenisvolle pauze. Het stelde haar gehoor in staat ademloos te vragen: 'Vertel eens, *hoe* zag hij er uit?' Juffrouw Hartnell ging verder: 'Eerlijk gezegd vermoedde *ik* al dadelijk iets! Hij was *veel* te kalm. Hij leek niet in 't minst verrast. En u mag zeggen wat u wilt, maar 't is niet natuurlijk dat een man hoort dat zijn vrouw dood is en helemaal geen ontroering toont.'

Iedereen was het met dat standpunt eens.

De politie was het er ook mee eens. Ze vonden meneer Spenlows onbewogenheid wel zo verdacht dat ze er zo snel mogelijk probeerden achter te komen in welke situatie deze heer kwam ten gevolge van de dood van zijn vrouw. Toen ze ontdekten dat mevrouw Spenlow het geld had ingebracht en dat ze haar geld in een testament, dat ze vlak na hun huwelijk had gemaakt, aan haar echtgenoot had nagelaten, verdachten ze hem meer dan ooit.

Juffrouw Marple, die oude vrijster, die er zo lief uitzag (en zoals sommigen zeiden een vlijmscherpe tong had) en die in het huis naast de pastorie woonde, werd al dadelijk ondervraagd – binnen een half uur na de ontdekking van de misdaad. Ze kreeg bezoek van politieagent Palk, die gewichtig met een opschrijfboekje manipuleerde. 'Als u er geen bezwaar tegen hebt, juffrouw, zou ik u graag een paar vragen stellen.'

Juffrouw Marple zei: 'In verband met de moord op mevrouw Spenlow?'

Palk was onaangenaam verrast. 'Mag ik vragen, juffrouw, hoe u dat te weten bent gekomen?'

'De vis,' zei juffrouw Marple.

Het antwoord was volkomen begrijpelijk voor agent Palk. Hij nam terecht aan dat de jongen van de visboer het had verteld, toen hij de vis voor juffrouw Marples avondeten had gebracht.

Juffrouw Marple ging rustig door: 'Liggend op de vloer in de zitkamer, gewurgd – waarschijnlijk met een heel smalle ceintuur. Maar wat 't ook was, 't was er niet meer.'

Palks gezicht was verbolgen. 'Hoe die jonge Fred toch alles te weten komt –'

Juffrouw Marple viel hem handig in de rede. Ze zei: 'Er zit een speld op uw tuniek.'

Agent Palk keek verschrikt omlaag. Hij zei: 'Ze zeggen: "Raap een speld op die je liggen zag en je hebt geluk voor de hele dag." '

'Ik hoop dat 't uitkomt. En wat wilde u nu dat ik zou vertellen?'

Agent Palk schraapte zijn keel, keek gewichtig en raadpleegde zijn opschrijfboekje. 'Deze verklaring werd tegenover mij afgelegd door meneer Arthur Spenlow, echtgenoot van de overledene. Meneer Spenlow zegt dat hij, om half drie naar hij dacht, werd opgebeld door juffrouw Marple, die hem verzocht naar haar toe te komen om kwart over drie, daar ze hem dringend over iets wilde raadplegen. Welnu, juffrouw, is dat waar?'

'Beslist niet,' zei juffrouw Marple.

'Hebt u meneer Spenlow niet om half drie opgebeld?'

'Noch om half drie, noch op enige andere tijd.'

'Aha,' zei agent Palk en beet met grote voldoening op zijn snor.

'Wat zei meneer Spenlow nog meer?'

'Meneer Spenlows verklaring luidde dat hij hierheen was gegaan, zoals u had verzocht, en dat hij zijn eigen huis had verlaten om tien minuten over drie; dat hij, toen hij hier kwam, van 't dienstmeisje te horen kreeg dat juffrouw Marple "d'r niet was".'

'Dat gedeelte is waar,' zei juffrouw Marple. 'Hij is wel hier geweest, maar ik was naar de vergadering van de Vrouwenclub.'

'Aha,' zei agent Palk weer.

Juffrouw Marple riep uit: 'Vertel me nu eens, agent, verdenkt u meneer Spenlow?'

'Ik ben niet bevoegd dat in dit stadium te zeggen, maar 't lijkt me wel toe dat iemand, ik wil geen namen noemen, zijn best heeft gedaan listig te zijn.'

Juffrouw Marple zei nadenkend: 'Meneer Spenlow?'

Ze was op meneer Spenlow gesteld. Hij was een kleine, schrale man, die op een stijve en conventionele manier sprak, het toppunt van eerzaamheid. Het leek vreemd dat hij buiten was komen wonen, hij was zo kennelijk een stadsmens. Hij had in vertrouwen juffrouw Marple de reden hiervan verteld. Hij had gezegd: 'Ik ben altijd van plan geweest, al sinds ik een kleine jongen was, eens buiten te gaan wonen en zelf een tuin te hebben. Ik ben altijd erg op bloemen gesteld geweest. Mijn vrouw had een bloemenwinkel, weet u. Daar heb ik haar voor 't eerst ontmoet.'

Een droge uiteenzetting, maar het opende een romantisch verschiet. Een jongere en knappere mevrouw Spenlow, gezien tegen een achtergrond van bloemen.

Meneer Spenlow, daarentegen, wist werkelijk niets van bloemen. Hij had geen notie van zaden, snoeien of uitzaaien, van éénjarige of overblijvende planten. Hij had alleen een visioen – een visioen van een tuintje vol heerlijk ruikende, vrolijk gekleurde bloemen. Hij had op bijna aandoenlijke wijze om onderricht gevraagd en had de antwoorden van juffrouw Marple op zijn vragen in een boekje opgeschreven.

Hij was een rustig en methodisch man. Misschien was de politie wel vanwege deze karaktertrek in hem geïnteresseerd, toen zijn vrouw vermoord werd gevonden. Met geduld en doorzettingsvermogen waren ze heel wat over mevrouw Spenlow zaliger te weten gekomen – en weldra wist heel St. Mary Mead het ook.

De overleden mevrouw Spenlow was haar leven begonnen als derde meisje in een groot huis. Ze had dat baantje vaarwel gezegd om met de tweede tuinman te trouwen en was met hem een bloemenzaak in Londen begonnen. De zaak floreerde. De tuinman echter niet. Die werd na korte tijd ziek en stierf.

Zijn weduwe hield de zaak aan en vergrootte die met veel ijver. Ze wist hem tot steeds groter bloei te brengen. Toen had ze de hele boel voor een goede prijs verkocht en was voor de tweede keer in het huwelijksbootje gestapt – met meneer Spenlow, een juwelier van middelbare leeftijd, die een kleine zaak had geërfd, die niet erg veel opbracht. Niet lang daarna hadden ze de zaak verkocht en waren naar St. Mary Mead gekomen.

Mevrouw Spenlow was een vrouw in goede doen. De opbrengst van haar bloemenwinkel had ze belegd – 'met geestenvoorlichting', zoals ze aan iedereen zonder onderscheid verklaarde. De geesten hadden haar met onverwachte scherpzinnigheid geadviseerd.

Al haar beleggingen waren winstgevend geweest, sommige zelfs op sensationele wijze. In plaats dat dit echter haar geloof in spiritisme deed toenemen, verzaakte mevrouw Spenlow op gemene wijze de media en de seances en stortte zich kort maar hevig in een duistere aan India verwante godsdienst, die gegrond was op verschillende vormen van diep ademhalen. Toen ze in St. Mary Mead was gekomen, was ze echter weer vervallen in een periode van orthodox Church-of-England geloof. Ze bracht veel tijd in de pastorie door en woonde met onverdroten ijver de kerkdiensten bij. Ze begunstigde de dorpswinkels, interesseerde zich voor de plaatselijke gebeurtenissen en speelde bridge in het dorp.

Een eentonig, alledaags bestaan. En – plotseling – moord.

Kolonel Melchett, de commissaris van politie, had inspecteur Slack ontboden.

Slack was een zelfverzekerd type. Als hij een bepaalde mening had, was hij er ook zeker van. Hij wist het nu ook heel zeker. 'De echtgenoot heeft het gedaan, meneer,' zei hij.

'Denkt u?'

'Ben er volkomen zeker van. Je hoeft alleen maar naar hem te kijken. Zo schuldig als wat. Toonde helemaal geen spoor van verdriet of ontroering. Hij kwam naar huis terug, wetend dat ze dood was.'

'Zou hij dan niet ten minste getracht hebben de rol van de radeloze echtgenoot te spelen?'

'Hij niet, meneer. Veel te veel met zichzelf ingenomen. Sommige mannen kunnen niet toneelspelen. Te stijf.'

'Was er een andere vrouw in zijn leven?' vroeg kolonel Melchett.

'Heb er geen spoor van kunnen ontdekken. Hij is natuurlijk wel van 't listige soort. Hij zou zijn sporen wel uitwissen. Zoals ik 't zie, had hij gewoon genoeg van zijn vrouw. Zij had 't geld en ik zou zeggen dat ze een lastige vrouw was om mee te leven – altijd bezig met een of ander 'isme'. Hij besloot koelbloedig haar uit de weg te ruimen en rustig alleen verder te leven.'

'Ja, zo zou 't wel kunnen zijn, denk ik.'

'Reken maar dat 't zo gegaan is. Heeft zijn plannen zorgvuldig beraamd. Deed alsof hij een telefonische boodschap kreeg –'

Melchett viel hem in de rede:

'Heb je geen gesprek kunnen achterhalen?'

'Nee, meneer. Dat betekent òf dat hij gelogen heeft òf dat 't gesprek vanuit een publieke telefooncel is gevoerd. De enige twee publieke telefoons in het dorp zijn bij 't station en bij 't postkantoor. 't Postkantoor was 't beslist niet. Mevrouw Blade ziet iedereen die binnenkomt. 't Station zou het kunnen zijn. De trein komt om twee uur zevenentwintig binnen en dan is er wel wat drukte. Maar 't voornaamste is dat *hij* zegt dat juffrouw Marple hem heeft opgebeld en dat is beslist niet waar. De oproep kwam niet van haar huis en zijzelf was weg naar de Vrouwenclub.'

'Ziet u de mogelijkheid niet over 't hoofd dat de man met opzet was weggeroepen – door iemand die mevrouw Spenlow wilde vermoorden?'

'U denkt zeker aan de jonge Ted Gerard, nietwaar, meneer? Ik ben met hem bezig geweest – we zitten met een gebrek aan motief. Hij zou er niets bij winnen.'

'Hij is echter wel een ongunstig persoon. Heeft een aardig verduisteringszaakje op zijn straflijstje staan.'

'Ik zal niet zeggen dat hij deugt. Maar hij is toch zelf naar zijn baas gegaan en heeft die verduistering bekend. En zijn patroons waren er niet eens van op de hoogte.'

'Het is er een van de Oxford-Groep,' zei Melchett.

'Ja, meneer. Werd bekeerd en ging 't juiste doen en bekennen dat hij geld had gegapt. Let wel, ik zal niet zeggen dat 't geen geslepenheid is geweest – hij kan wel gemeend hebben dat hij verdacht werd en besloten hebben te gokken op eerlijk schuld bekennen.'

'Je hebt een sceptische geest, Slack,' zei Kolonel Melchett. 'Tussen haakjes, heb je eigenlijk nog met juffrouw Marple gesproken?'

'Wat heeft zij ermee te maken, meneer?'

'O, niets. Maar ze hoort veel, weet je. Waarom ga je niet eens met haar babbelen? Ze is een heel scherpzinnige oude dame.'

Slack veranderde van onderwerp. 'Eén ding had ik u willen vragen, meneer. Dat huishoudelijke baantje waarmee de overledene haar loopbaan begon – in 't huis van Sir Robert Abercrombie. Daar heeft die juwelendiefstal plaatsgevonden – smaragden – een hoop waard. Ze hebben ze nooit te pakken gekregen. Ik heb 't nagegaan – 't moet gebeurd zijn toen die vrouw van Spenlow daar was, al moet ze toentertijd nog een meisje zijn geweest. U denkt toch niet dat ze daarbij betrokken was, meneer? Ziet u, Spenlow was een van die pruljuweliers – juist de man voor een helerszaakje.'

Melchett schudde het hoofd. 'Ik geloof niet dat daar iets in zit. Ze kende Spenlow toen zelfs nog niet. Ik herinner me de zaak. De opvatting in politiekringen was toen dat een zoon des huizes erbij betrokken was – Jim Abercrombie – een nare jonge verkwister. Had een hoop schulden en net na de diefstal werden ze allemaal afbetaald – een of andere rijke vrouw, werd er gezegd, maar ik weet 't niet – de Oude Abercrombie draaide een beetje om de zaak heen – probeerde de aandacht van de politie af te leiden.'

''t Was zo maar een idee, meneer,' zei Slack.

Juffrouw Marple ontving inspecteur Slack met voldoening, vooral toen ze hoorde dat hij was gestuurd door kolonel Melchett.

'Nou, dat is werkelijk heel vriendelijk van kolonel Melchett. Ik wist niet dat hij zich mij nog herinnerde.'

'Hij herinnert zich u heel goed. Heeft me verteld dat wat u niet weet van wat er omgaat in St. Mary Mead, niet de moeite waard is om te weten.'

'Heel vriendelijk van hem, maar ik weet werkelijk helemaal niets. Over deze moord, bedoel ik.'

'U weet wat voor praatjes erover gaan.'

'O, natuurlijk – maar 't heeft niet veel zin, is 't wel, zinloze praatjes te herhalen?'

Slack zei met een poging tot vriendelijkheid: 'Dit is geen officieel gesprek, weet u. 't Is om zo te zeggen vertrouwelijk.'

'Bedoelt u dat u werkelijk wilt weten wat de mensen zeggen? Of 't nu waar is of niet?'

'Dat bedoel ik.'

'Nou, er is natuurlijk veel over gepraat en er zijn allerlei veronderstellingen gemaakt. En er zijn wel duidelijk twee partijen, als u begrijpt wat ik bedoel. Om te beginnen zijn er de mensen die denken dat de man 't heeft gedaan. De man of de vrouw van het slachtoffer is wel enigszins de aangewezen persoon om te verdenken, vindt u niet?'

'Misschien,' zei de inspecteur voorzichtig.

'Die staan elkaar 't naast, ziet u. En dan komt er zo dikwijls de geldkwestie bij. Ik heb gehoord dat mevrouw Spenlow 't geld had en dus heeft meneer Spenlow voordeel bij haar dood. Ik ben bang dat in deze slechte wereld de meest liefdeloze veronderstellingen dikwijls gerechtvaardigd worden.'

'Hij komt zeker in 't bezit van een aardig sommetje.'

'Juist. 't Zou natuurlijk heel aannemelijk lijken dat hij haar heeft gewurgd, 't huis door de achterdeur heeft verlaten en door de velden naar mijn huis is gekomen, daar naar me gevraagd heeft, onder 't voorwendsel dat ik hem had opgebeld, toen teruggegaan is en ontdekt heeft dat zijn vrouw in zijn afwezigheid vermoord was – waarbij hij natuurlijk hoopte dat de misdaad aan een of andere landloper of inbreker zou worden toegeschreven.'

De inspecteur knikte en zei:

'Als daar dan de geldkwestie nog bijkomt – en als ze misschien de laatste tijd niet goed met elkaar hebben kunnen opschieten –'

Maar juffrouw Marple viel hem in de rede: 'O, maar dat konden ze wel.'

'Weet u dat zeker?'

'Iedereen zou 't geweten hebben, als ze ruzie hadden gehad! 't Meisje, Gladys Brent, zou 't dadelijk 't hele dorp hebben rondverteld.'

De inspecteur zei zwakjes: 'Misschien heeft ze 't niet geweten –' en kreeg een medelijdend lachje als antwoord.

Juffrouw Marple ging door:

'En dan kun je 't nog in een andere richting zoeken. Ted Gerard. Een knappe jongeman. Ziet u, ik vrees dat een knap uiterlijk meer indruk op iemand maakt dan 't wel moest. Neem onze op één na laatste hulpprediker – gewoon een betoverende uitwerking! Alle meisjes kwamen naar de kerk – zowel naar de avond- als de morgendienst. En veel al wat oudere vrouwen waren ineens ongewoon ijverig op 't gebied van 't kerkewerk – en wat er niet een pantoffels en dassen voor hem werden gemaakt! 't Bracht de arme jongeman helemaal in verlegenheid.

Maar laat eens kijken, waar was ik gebleven? O ja, die jongeman, Ted Gerard. Natuurlijk werd er over hem gepraat. Hij is zo dikwijls bij haar op bezoek geweest. Hoewel mevrouw Spenlow me zelf heeft verteld dat hij lid was van wat ze geloof ik de *Oxford-Groep* noemen. Een godsdienstige beweging. Ze zijn heel ingetogen en ernstig, geloof ik. En mevrouw Spenlow was van dat alles erg onder de indruk.'

Juffrouw Marple haalde even diep adem en ging verder: 'En ik weet wel zeker dat er geen reden was om te denken dat er iets meer achter zat, maar u weet hoe de mensen zijn. Een heleboel mensen zijn van mening dat mevrouw Spenlow verliefd was op de jongeman en dat ze hem aardig wat geld had geleend. En 't is volkomen waar dat hij inderdaad die dag op 't station is gezien. In de trein die om twee uur zevenentwintig aankomt. Maar 't zou natuurlijk heel gemakkelijk zijn, nietwaar, er aan de andere kant van de trein uit te springen en door de greppel en over de omheining te gaan en de hoek om bij de heg en helemaal niet uit de stationsuitgang te komen. Dus dan is het best mogelijk dat niemand hem naar 't huis heeft zien gaan. En natuurlijk vinden de mensen wel dat mevrouw Spenlow een enigszins eigenaardige kleding aanhad.'

'Eigenaardig?'

'Ze had een kimono aan, geen japon.' Juffrouw Marple bloosde. 'Ziet u, zoiets geeft sommige mensen misschien wel te denken.'

'Vindt ú dat 't te denken geeft?'

'O nee, dat vind *ik* niet. Ik geloof dat 't heel gewoon was.'

'Vindt u 't gewoon?'

'De omstandigheden in aanmerking genomen, ja.' Juffrouw Marples blik was kalm en nadenkend.

Inspecteur Slack zei: ''t Zou ons nog een motief voor de echtgenoot kunnen geven. Jaloezie.'

'O nee, nee, meneer Spenlow zou nooit jaloers zijn. Hij is niet 't type man dat zoiets opmerkt. Als zijn vrouw was weggelopen en een briefje op 't speldenkussen had geprikt, zou dat 't eerste zijn wat hij ervan hoorde.'

Inspecteur Slack raakte in de war door de doordringende manier waarop ze hem aankeek. Hij had een idee dat haar hele verhaal bedoeld was om hem op iets te wijzen dat hij niet begreep.

Ze zei nu met enige nadruk: 'Hebt *u* geen aanwijzingen gevonden, inspecteur – op de plaats zelf?'

'De mensen laten tegenwoordig geen vingerafdrukken of sigaretteas meer achter, juffrouw Marple.'

'Maar ik geloof dat dit een ouderwetse misdaad is geweest,' bracht ze naar voren.

Slack zei scherp: 'En wat wilt u daarmee zeggen?'

Juffrouw Marple merkte langzaam op: 'Ik geloof wel dat agent Palk u zou kunnen helpen. Hij was de eerste persoon die op 't – op 't "toneel van de misdaad", zoals ze zeggen, verscheen.'

Meneer Spenlow zat in een ligstoel. Hij zag er verbijsterd uit. Hij zei met zijn schrale, afgemeten stem: ' 't Kan zijn dat ik me maar heb verbeeld wat er gebeurd is. Mijn gehoor is niet meer zo goed als vroeger. Maar ik meende duidelijk te horen dat een kleine jongen me nariep: "Bah, wie is er een tweede Crippen?" – 't – 't gaf me de indruk dat hij van mening was dat ik – dat ik mijn lieve vrouw had vermoord.'

Juffrouw Marple zei, terwijl ze voorzichtig een verwelkte rozeknop afknipte: 'Dat was zonder twijfel de indruk die hij u wilde geven.'

'Maar hoe is 't mogelijk dat een kind zoiets in zijn hoofd haalt?'

Juffrouw Marple kuchte. 'Zonder twijfel door naar de mening van anderen te luisteren.'

'Meent u – meent u werkelijk dat andere mensen dat ook denken?'

'Zeker de helft van de mensen in St. Mary Mead.'

'Maar – mijn waarde juffrouw – hoe komen ze in vredesnaam op het idee? Ik was erg gesteld op mijn vrouw. Ze vond, helaas, 't buitenleven niet zo prettig als ik had gehoopt, maar 't is een onvervulbaar ideaal dat men 't altijd met elkaar eens zou zijn. Ik verzeker u dat ik diep getroffen ben door haar heengaan.'

''t Is mogelijk. Maar, neem me niet kwalijk dat ik 't zeg, uw stem klinkt niet alsof u dat doet.'

Meneer Spenlow strekte zijn magere gestalte in zijn volle lengte. 'Waarde juffrouw, vele jaren geleden las ik over een zekere Chinese filosoof, die, nadat zijn tederbeminde vrouw hem was ontvallen, rustig doorging met in de straat op een gong te slaan – een gewoon Chinees tijdverdrijf, neem ik aan – precies als anders. De mensen in de stad waren zeer onder de indruk van zijn geestkracht.'

'Maar de mensen van St. Mary Mead,' zei juffrouw Marple, 'reageren heel anders. Chinese filosofie zegt hun niets.'

'Maar begrijpt *u* 't?'

Juffrouw Marple knikte. 'Mijn oom Henri,' legde ze uit, 'was een man van buitengewone zelfbeheersing.

Zijn lijfspreuk was "Toon nooit enige ontroering". Hij was ook dol op bloemen.'

'Ik zat erover te denken,' zei meneer Spenlow met iets van geestdrift, 'dat ik misschien een pergola zou kunnen maken aan de westkant van 't huis. Roze rozen en misschien blauwe regen. En dan is er een wit stervormig bloempje waarvan de naam me nu is ontschoten –'

Op de toon waarop ze tegen haar achterneefje van drie jaar sprak, zei juffrouw Marple: 'Ik heb hier een erg aardige catalogus, met afbeeldingen. Misschien vindt u 't leuk die eens door te kijken – ik moet naar 't dorp.'

Terwijl ze meneer Spenlow in de tuin achterliet, gelukkig met zijn catalogus, ging juffrouw Marple naar boven, naar haar kamer, wikkelde haastig een jurk in een stuk bruin papier en liep, nadat ze het huis had verlaten, vlug naar het postkantoor. Juffrouw Politt, de naaister, bewoonde kamers boven het postkantoor.

Maar juffrouw Marple ging niet meteen de deur door en naar boven. Het was net half drie en een minuut later stopte de bus van Much Benham voor de deur van het postkantoor. Dit was een van de voornaamste gebeurtenissen in St. Mary Mead. De posthoudster kwam naar buiten snellen met pakjes, pakjes die verband hielden met het winkelgedeelte van haar werk, want op het postkantoor werden ook snoepjes, pocketboeken en speelgoed verkocht.

Gedurende ongeveer vier minuten was juffrouw Marple alleen in het postkantoor.

Pas toen de posthoudster naar haar post terugkeerde, ging juffrouw Marple naar boven en legde aan juffrouw Politt uit dat ze haar oude grijze crêpe jurk veranderd wilde hebben en wat gemoderniseerd, als dat mogelijk was. Juffrouw Politt beloofde te zien wat ze kon doen.

De commissaris was nogal verbaasd toen juffrouw Marple bij hem aangediend werd. Ze kwam vol verontschuldigingen binnen. ''t Spijt me – 't spijt me erg u te storen. Ik weet dat u 't heel druk hebt, maar u bent altijd zo erg vriendelijk geweest, kolonel Melchett, en ik had 't gevoel dat ik liever bij u wilde komen dan bij inspecteur Slack. Om maar iets te noemen, ik zou 't vreselijk vinden, ziet u, als agent Palk in moeilijkheden zou raken. Strikt genomen geloof ik dat hij helemaal niets had moeten aanraken.'

Kolonel Melchett was min of meer verbijsterd. Hij zei: 'Palk? Dat is de agent van St. Mary Mead, nietwaar? Wat heeft hij uitgevoerd?'

'Hij heeft een speld opgeraapt, weet u. Die zat op zijn tuniek. En 't viel me toen in dat 't heel waarschijnlijk was dat hij die in 't huis van mevrouw Spenlow had opgeraapt.'

'Juist, juist. Maar, weet u, wat is tenslotte een speld? In feite heeft hij de speld vlak bij mevrouw Spenlows lichaam opgeraapt.

Hij kwam 't gisteren aan Slack vertellen – daartoe had u hem zeker aangezet? Natuurlijk had hij niets mogen aanraken, maar zoals ik al zei, wat is nu een speld? 't Was maar een gewone speld. Van 't soort dat iedere vrouw zou kunnen gebruiken.'

'O nee, kolonel Melchett, dat hebt u mis. Voor 't oog van een man zag 't er misschien als een gewone speld uit, maar dat was 't niet. 't Was een speciale speld, een heel dunne speld, de soort die je per doos koopt, de soort die 't meest door naaisters wordt gebruikt.'

Melchett keek haar verbaasd aan, terwijl het langzaam tot hem begon door te dringen waar ze heen wilde. Juffrouw Marple knikte verscheidene malen heftig met het hoofd.

'Ja, natuurlijk. 't Lijkt me heel duidelijk. Ze had haar kimono aan omdat ze haar nieuwe jurk moest passen, en ze ging naar de voorkamer en juffrouw

Politt zei alleen iets over maat nemen en legde 't meetlint om haar hals – en toen was alles wat ze had te doen, de uiteinden over elkaar leggen en trekken – heel gemakkelijk, zoals ik heb gehoord. En dan hoefde ze natuurlijk maar naar buiten te gaan en de deur dicht te trekken en daar staan kloppen, alsof ze net was gekomen. Maar de speld toont aan dat ze *al in 't huis was geweest.'*

'En heeft juffrouw Politt dan Spenlow opgebeld?'

'Ja. Vanuit 't postkantoor, om half drie – juist als de bus komt en 't postkantoor leeg is.'

Kolonel Melchett zei: 'Maar, beste juffrouw Marple, waarom? Waarom in 's hemelsnaam? Er bestaat geen moord zonder motief.'

'Nu, ik geloof wel, kolonel Melchett, naar alles wat ik ervan heb gehoord, dat de misdaad al van lang geleden dateert. Weet u, 't herinnert me aan mijn twee neven, Antony en Gordon. Wat Antony deed liep altijd goed af, en met de arme Gordon was 't net andersom: renpaarden werden kreupel, aandelen kelderden en goederen daalden in waarde... Zoals ik 't zie, waren de twee vrouwen er allebei bij betrokken.'

'Waarbij?'

'De diefstal. Lang geleden. Heel waardevolle smaragden, naar ik heb gehoord. De kamenier en 't derde meisje. Want één ding is nooit verklaard: hoe hadden 't derde meisje en de tuinman toen ze trouwden, genoeg geld bij elkaar gekregen om een bloemenzaak te openen?

't Antwoord is, dat 't haar aandeel in de – de buit was, dat is, geloof ik, de juiste uitdrukking. Alles wat ze deed, liep goed af. Het kapitaaltje groeide steeds aan. Maar die andere, de kamenier, moet pech hebben gehad. Ze bracht 't alleen maar tot dorpsnaaister. Toen kwamen ze elkaar weer tegen. Ik denk dat eerst alles goed was, tot meneer Ted Gerard op 't toneel verscheen.

Ziet u, mevrouw Spenlow had al gewetenswroeging en had neiging overdreven godsdienstig te zijn. Deze jongeman heeft er ongetwijfeld bij haar op aangedrongen 't "onder de ogen" te zien en eerlijk op te biechten, en ik denk dat ze er na aan toe was dat te doen. Maar juffrouw Politt zag 't zo niet. Alles wat zij ervan begreep was dat ze misschien de gevangenis in zou draaien voor een diefstal die ze jaren geleden had gepleegd. Dus besloot ze een eind aan dit alles te maken. Weet u, ik vrees dat 't haar ijskoud had gelaten, als die aardige, domme meneer Spenlow was opgehangen.'

Kolonel Melchett zei langzaam: 'We kunnen – eh – uw theorie verifiëren – tot op zekere hoogte. De identiteit van die juffrouw Politt met de kamenier van de Abercrombies, maar –'

Juffrouw Marple stelde hem gerust.

' 't Zal allemaal heel gemakkelijk zijn. Zij is de soort vrouw die dadelijk door de mand valt als ze met de waarheid wordt geconfronteerd. En bovendien heb ik haar meetlint, ziet u. Ik – eh – heb 't gisteren weggenomen, toen ik aan 't passen was. Als ze 't mist en denkt dat de politie 't heeft – nou, ze is een heel onontwikkelde vrouw en ze zal denken dat 't op de een of andere manier een bewijs tegen haar levert.'

Ze glimlachte bemoedigend tegen hem. 'U zult er geen moeite mee hebben, ik verzeker 't u.' Het was de toon waarop zijn lievelingstante hem eens had verzekerd dat hij beslist door zijn toelatingsexamen voor Sandhurst zou komen.

En hij was er doorgekomen.

Het geval van de volmaakte dienstbode

'O, zou ik u alstublieft even mogen spreken, juffrouw?'

Men zou kunnen denken dat dit verzoek een beetje onzinnig was, daar Edna, juffrouw Marples dienstmeisje, feitelijk op dat moment al met haar meesteres aan het spreken was.

Haar eigenaardige spreektrant kennende, zei juffrouw Marple echter dadelijk: 'Zeker, Edna, kom binnen en doe de deur dicht. Wat is er?'

Nadat ze gehoorzaam de deur had gesloten, liep Edna tot voor in de kamer, verfrommelde de punt van haar schort tussen haar vingers en slikte een paar maal.

'En, Edna?' zei juffrouw Marple aanmoedigend.

'O, alstublieft, juffrouw, 't is mijn nichtje Gladdie.'

'Lieve help,' zei juffrouw Marple, terwijl ze bij zichzelf de ergste – en, helaas, de meest voor de hand liggende – gevolgtrekking maakte. 'Toch niet – niet in verwachting?'

Edna haastte zich haar gerust te stellen.

'O nee, juffrouw, niets van dien aard. Zo'n soort meisje is Gladdie niet. Ze is alleen maar van streek. Ziet u, ze is haar betrekking kwijt.'

'Lieve help, 't spijt me dat te horen. Ze was op Old Hall, is het niet, bij juffrouw – de dames – Skinner?'

'Ja, juffrouw, zo is 't, juffrouw. En Gladdie zit er erg over in – heel erg zelfs.'

'Maar is Gladys tevoren ook niet nogal eens van betrekking veranderd?'

'O ja, juffrouw. Ze houdt altijd wel van veranderen. Zo is Gladdie wel. Ze lijkt nooit ergens helemaal voor vast te willen zijn, als u begrijpt wat ik bedoel. Maar zij was altijd degene die opzei, ziet u!'

'En nu is 't net andersom?' vroeg juffrouw Marple droogjes.

'Ja, juffrouw, en 't heeft Gladys helemaal van streek gemaakt.'

Juffrouw Marple keek een beetje verbaasd. Haar herinnering aan Gladys, die een enkele keer was komen theedrinken in de keuken op haar 'uitgaansdag', was die van een fors, giechelend meisje met een onverwoestbaar gelijkmatig humeur.

Edna ging door: 'Ziet u, juffrouw, 't is om de manier waarop 't gebeurd is – de manier waarop juffrouw Skinner keek.'

'Hoe keek juffrouw Skinner?' informeerde juffrouw Marple geduldig.

Dit keer draaide Edna al haar nieuws af.

'O, juffrouw, 't was een hele schok voor Gladdie. Ziet u, een van juffrouw Emily's broches was weg en er werd moord en brand geschreeuwd en niemand vindt 't natuurlijk leuk, als er zoiets gebeurt; je raakt er overstuur van, juffrouw, als u begrijpt wat ik bedoel. En Gladdie heeft overal helpen zoeken en toen zei juffrouw Lavinia dat ze ervoor naar de politie zou gaan en toen kwam hij weer te voorschijn, helemaal achter in een la van de toilettafel geschoven, en Gladdie was er heel blij om.

En juist de volgende dag, dat zul je altijd zien, brak ze een bord en juffrouw Lavinia viel meteen uit en heeft Gladdie met een maand opgezegd. En nu heeft Gladdie 't gevoel dat 't niet om 't bord kan zijn geweest en dat juffrouw Lavinia dat als een voorwendsel heeft gebruikt en dat 't om de broche moest zijn en dat ze denken dat zij 'm had weggenomen, en teruggelegd toen de politie zou worden ontboden, en zoiets zou Gladdie niet doen, dat zou ze nooit doen, en ze denkt dat 't de ronde zal doen en haar in een slecht daglicht stellen en dat is iets heel lelijks voor een meisje, dat weet u wel, juffrouw.'

Juffrouw Marple knikte. Hoewel ze nu niet zo bijzonder veel voelde voor de blufferige, verwaande Gladys, was ze wel overtuigd van de absolute eerlijkheid van het meisje en ze kon zich best begrijpen dat de zaak haar van streek moest hebben gemaakt.

Edna zei droefgeestig: 'Ik veronderstel, juffrouw, dat u er niets aan doen kunt? Gladys is erg overstuur.'

'Zeg haar dat ze niet zo dwaas moet zijn,' zei juffrouw Marple beslist. 'Als ze de broche niet heeft weggenomen – waarvan ik overtuigd ben –, heeft ze geen reden om van streek te zijn.'

''t Zal de ronde doen,' zei Edna somber.

Juffrouw Marple zei: 'Ik – eh – ga vanmiddag toch die kant op. Ik zal eens gaan praten met de dames Skinner.'

'O, heel graag, juffrouw,' zei Edna.

Old Hall was een groot, Victoriaans huis, omringd door bossen en een park. Aangezien het onverhuurbaar bleek en onverkoopbaar was, had een ondernemende speculant het in vier flats verdeeld met gemeenschappelijke centrale verwarming en gezamenlijk gebruik van 'de grond' door alle huurders. Het experiment was wel geslaagd. Een rijke, excentrieke oude dame bewoonde met haar dienstmeisje een flat. De oude dame was dol op vogels en voederde elke dag een hele gevederde familie. Een gepensioneerd Indisch rechter en zijn vrouw hadden een tweede flat gehuurd. Een heel jong pas getrouwd paartje bewoonde de derde en de vierde was pas twee maanden geleden bezet door twee ongetrouwde dames, Skinner geheten. De vier stel huurders hadden maar heel weinig contact met elkaar, aangezien ze niets met elkaar gemeen hadden. Men had de huisbaas horen zeggen dat dit uitstekend was. Hij was bang voor vriendschappen die later weer bekoelden en waardoor hij dan maar weer klachten kreeg.

Juffrouw Marple kende alle huurders, hoewel ze geen van hen goed kende. De oudste juffrouw Skinner, juffrouw Lavinia was wat je zou kunnen noemen het werkende lid van de firma. Juffrouw Emily, de jongste, bracht haar meeste tijd in bed door, lijdend aan verschillende kwalen, die volgens de publieke opinie in St. Mary Mead grotendeels denkbeeldig waren. Alleen juffrouw Lavinia geloofde onvoorwaardelijk in haar zusters martelaarschap en haar lijdzaamheid onder de beproeving en deed gewillig boodschappen voor haar en draafde naar het dorp heen en weer om dingen te halen 'waarin mijn zuster ineens zin had.'

Men was in St. Mary Mead van mening dat juffrouw Emily, als ze maar half zoveel leed als ze zei, allang dokter Haydock had laten komen. Maar als iemand iets in die richting suggereerde, sloot juffrouw Emily met een verheven gezicht haar ogen en prevelde dat haar geval niet zo eenvoudig was – de beste specialisten in Londen hadden voor een raadsel gestaan – en dat een wonderbaarlijke nieuwe dokter haar nu op een volkomen andere wijze behandelde, en dat ze heus hoopte dat haar gezondheid daar baat bij zou vinden. Geen enkele doodgewone huisarts kon ook maar enigszins begrijpen wat ze mankeerde.

'En ik ben van mening,' zei de openhartige juffrouw Hartnell, 'dat 't ook maar heel verstandig van haar is, hem niet te laten komen. Die goede dokter Haydock zou op zijn bruuske manier tegen haar zeggen dat er niets met haar aan de hand was en dat ze moest opstaan en niet zo'n poppenkast maken! Zou haar echt goeddoen!'

Bij gebrek aan deze eigenmachtige behandeling bleef juffrouw Emily dus op haar sofa liggen met vreemde pillendoosjes om zich heen en sloeg bijna alles af wat voor haar werd klaargemaakt, om dan weer iets anders te vragen – meestal iets dat een heleboel werk gaf en niet gemakkelijk te krijgen was.

Juffrouw Marple werd opengedaan door 'Gladdie', die er meer terneergeslagen uitzag dan juffrouw Marple ooit mogelijk zou hebben geacht. In de zitkamer (een vierde van de vroegere salon, die verdeeld was in een eetkamer, een salon, een badkamer en een werkkast) stond juffrouw Lavinia op om juffrouw Marple te begroeten.

Lavinia Skinner was een lange, magere, benige vrouw van vijftig. Ze had een norse stem en een bruuske manier van doen.

'Prettig dat u komt,' zei ze. 'Emily ligt op bed – de arme ziel voelde zich niet goed vandaag. Ik hoop dat ze u wil ontvangen, 't zou haar goeddoen, maar er zijn tijden dat ze zich niet in staat voelt iemand te zien. Arme ziel, ze is een buitengewone patiënte.'

Juffrouw Marple antwoordde beleefd. Dienstmeisjes waren het voornaamste onderwerp van gesprek in St. Mary Mead, dus was het niet moeilijk de conversatie in die richting te leiden. Juffrouw Marple zei dat ze had gehoord dat dat aardige meisje Gladys Holmes wegging?

Juffrouw Lavinia knikte.

'Woensdag over een week. Ze brak van alles, weet u. Dat kan ik niet hebben.'

Juffrouw Marple zuchtte en zei dat we tegenwoordig allemaal wel wat door de vingers moesten zien. Het was zo moeilijk meisjes te krijgen die naar het platteland wilde komen. Geloofde juffrouw Skinner werkelijk dat het verstandig was Gladys weg te laten gaan?

'Weet dat 't moeilijk is meisjes te krijgen,' gaf juffrouw Lavinia toe. 'De Devereux hebben helemaal niemand – maar dat verbaast me niet – altijd ruzie, de hele avond jazzmuziek aan – maaltijden elk uur van de dag – dat vrouwtje weet niets van huishouden, ik heb medelijden met haar man! En 't meisje van de Larkins is net weggegaan. Natuurlijk, daar verbaas ik me ook niet over, als je bedenkt wat een Indisch humeur die rechter heeft en dat hij om zes uur 's morgens zijn morgenthee wil hebben en wat een drukte mevrouw Larkins altijd maakt. Die Janet van mevrouw Carmichael gaat natuurlijk nooit weg – hoewel ze naar mijn mening een hoogst onaangename vrouw is en de oude dame volkomen tiranniseert.'

'Gelooft u dan niet dat u nog eens over uw beslissing omtrent Gladys zou moeten denken? Ze is heus een aardig meisje. Ik ken haar hele familie; heel eerlijk en keurig netjes.'

Juffrouw Lavinia schudde het hoofd.

'Ik heb mijn redenen,' zei ze gewichtig.

Juffrouw Marple mompelde: 'Ik heb gehoord dat u een broche kwijt was –'

'Wie heeft daar nu weer over gepraat? Het meisje zeker. Om eerlijk te zijn, ik ben er bijna zeker van dat zij hem weggenomen heeft en toen bang is geworden en hem heeft teruggelegd – maar natuurlijk kun je niets zeggen als je er niet zeker van bent.' Ze veranderde van onderwerp. 'Komt u toch even naar juffrouw Emily kijken, juffrouw Marple. Ik weet zeker dat 't haar goed zal doen.'

Juffrouw Marple volgde juffrouw Lavinia gedwee, tot deze op een deur klopte; op het geroep van 'binnen' liet ze haar gast binnengaan in de mooiste kamer van de flat, waarvan het licht grotendeels werd buitengesloten door half neergelaten jaloezieën. Juffrouw Emily lag in bed, klaarblijkelijk genietend van de halve duisternis en haar eindeloze kwalen.

In het schemerige licht bleek ze een mager, besluiteloos uitziend schepsel te zijn met een overvloed van grijzend geelachtig haar, dat slordig om haar hoofd gedraaid was met losspringende krulletjes, zodat het geheel een soort vogelnestje leek, waarop geen vogel die zichzelf respecteerde trots zou zijn. Er hing een lucht in de kamer van eau-de-cologne, oudbakken kaakjes en kamfer.

Met half gesloten ogen en een schrale, zwakke stem

verklaarde Emily Skinner dat dit 'een van haar slechte dagen' was.

''t Ergste van een zwakke gezondheid is,' zei juffrouw Emily op sombere toon, 'dat je weet dat je iedereen om je heen tot last bent.

Lavinia is erg goed voor me. Lavvie, lieve, ik vind 't zo erg om je lastig te vallen, maar als je mijn warmwaterkruik nu eens zou willen vullen zoals ik 't zo graag zou willen – als hij te vol is, drukt hij zo op me – aan de andere kant, als hij niet vol genoeg is, wordt hij direct koud.'

''t Spijt me, lieve. Geef hem maar hier. Ik zal er wat uitdoen.'

'Misschien, als je dat toch doet, kun je hem opnieuw vullen. Er zijn zeker geen beschuiten in huis – nee, nee, 't geeft niet. Ik kan 't wel zonder doen. Een beetje slappe thee met een schijfje citroen – zijn er geen citroenen? Nee, werkelijk, ik kan geen thee zonder citroen drinken. Ik geloof dat de melk vanmorgen een beetje geschift was. Nu heb ik iets tegen melk in de thee. 't Geeft niet. Ik kan 't wel zonder mijn thee doen. Ik voel me alleen zo slap. Ze zeggen dat oesters voedzaam zijn. Ik vraag me af of ik trek in een paar zou hebben. Nee, nee 't is veel te lastig om zo laat op de dag nog te proberen ze te krijgen. Ik kan wel vasten tot morgen.'

Lavinia verliet de kamer, iets onsamenhangends mompelend over naar het dorp fietsen.

Juffrouw Emily glimlachte zwakjes tegen haar gast en merkte op dat ze het zo erg vond iemand last te bezorgen.

Juffrouw Marple vertelde Edna 's avonds dat ze vreesde dat haar zending niet veel succes had gehad.

Ze vond het erg vervelend toen ze merkte dat er al verhalen over Gladys' oneerlijkheid de ronde deden in het dorp.

In het postkantoor sprak juffrouw Wetherby haar aan: 'Beste Jane, ze hebben haar een getuigschrift gegeven waarin staat dat ze gewillig, bescheiden en netjes is, maar er staat niets over eerlijkheid in. Dat lijkt me wel tekenend! Ik heb gehoord dat er moeilijkheden zijn geweest over een broche. Ik denk dat daar wel iets van aan is, zie je, want men laat tegenwoordig geen dienstmeisjes weggaan, tenzij er iets heel ernstigs is. Ze zullen heel veel moeite hebben een ander te krijgen. De meisjes willen gewoon niet naar Old Hall. Als ze op hun vrije dag naar huis komen, zijn ze zenuwachtig. Je zult zien dat de Skinners niemand anders kunnen vinden en dan zal die vreselijke zwaarmoedige zuster misschien weleens moeten opstaan en iets doen!'

Groot was de teleurstelling in het dorp, toen bekend werd dat de dames Skinner door bemiddeling van een bureau een nieuw meisje hadden aangenomen, dat, naar men zei, volmaakt was.

'Een getuigschrift over drie jaar dat haar zeer warm aanbeveelt, ze wil liever buiten dienen en vraagt zelfs minder loon dan Gladys. Ik heb werkelijk 't gevoel dat we 't zeer hebben getroffen.'

'Nou, zeker,' zei juffrouw Marple, die in de viswinkel al deze feiten van juffrouw Lavinia te horen kreeg. ''t Lijkt te mooi om waar te zijn.'

Toen was men weer van mening in St. Mary Mead dat de volmaakte op het laatste ogenblik zou afzeggen en niet zou komen.

Niets van deze voorspellingen kwam echter uit, en het dorp was in de gelegenheid dat huishoudelijk fenomeen, genaamd Mary Higgins, in de taxi van Reed door het dorp naar Old Hall te zien rijden. Het moet worden toegegeven dat ze er goed uitzag. Een zeer fatsoenlijk uitziende vrouw en netjes gekleed.

Bij het volgende bezoek van juffrouw Marple aan Old Hall, bij gelegenheid van het werven van standhoudsters voor het pastoriefeest, deed Mary Higgins open. Ze was beslist een keurig uitziende dienstbode, zo te raden veertig jaar oud, met net gekapt zwart haar, rode wangen en een mollig figuurtje, bescheiden uitgedost in het zwart met een wit schortje en mutsje – 'echt 't goede ouderwetse type van een dienstbode', zoals juffrouw Marple later verklaarde, en met de juiste zachte, respectvolle stem, zo verschillend van de luide stem van Gladys, die met veel keelklanken sprak.

Juffrouw Lavinia zag er veel minder afgemat uit dan gewoonlijk en ofschoon het haar speet dat ze geen stand kon nemen, doordat ze teveel de handen vol had met haar zuster, overhandigde ze toch een flinke geldelijke bijdrage en beloofde een partij inktlappen en babysokjes te zullen maken.

Juffrouw Marple zei iets over het feit dat ze er zo goed uitzag.

'Ik voel werkelijk dat ik heel veel aan Mary te danken heb. Ik ben zo dankbaar dat ik besloten heb dat andere meisje weg te doen. Mary is werkelijk onschatbaar. Ze kookt lekker, dient keurig en houdt onze kleine flat vlekkeloos schoon – elke dag worden de matrassen omgekeerd. En ze is gewoon fantastisch met Emily!'

Juffrouw Marple haastte zich te vragen hoe het met Emily ging.

'O, de arme ziel is de laatste tijd erg in de put geweest. Ze kan 't natuurlijk niet helpen, maar 't maakt de dingen werkelijk weleens een beetje moeilijk. Soms wil ze bepaalde dingen gekookt hebben en als ze dan komen zegt ze dat ze 't niet kan eten – en dan wil ze ze een half uur later weer wel hebben en dan is alles niet lekker meer en moet opnieuw worden klaargemaakt. Dat geeft natuurlijk een bende werk – maar gelukkig schijnt Mary dat helemaal niet erg te vinden. Ze is gewend invaliden te verzorgen, zegt ze, en ze begrijpt hen. Dat is zo'n geruststelling.'

'Nou, nou,' zei juffrouw Marple. 'U bent wel gelukkig.'

'Ja, inderdaad. Ik voel 't werkelijk alsof Mary ons in antwoord op een gebed is gestuurd.'

'Ze lijkt mij haast te goed om waar te zijn,' zei juffrouw Marple. 'Ik zou – nu, ik zou maar een beetje voorzichtig zijn als ik u was.'

De fijne bedoeling van deze opmerking ontging Lavinia Skinner. Ze zei: 'O! Ik verzeker u dat ik alles doe wat ik kan om 't haar naar de zin te maken. Ik weet niet wat ik zou moeten beginnen, als ze wegging.'

'Ik denk niet dat ze weg zal gaan voordat ze gereed is om weg te gaan,' zei juffrouw Marple en keek haar gastvrouw strak aan.

Juffrouw Lavinia zei: "t Neemt je zo'n last van de schouders, als je geen huishoudelijke beslommeringen hebt, vindt u niet? Hoe voldoet uw kleine Edna?'

'Ze doet 't heel aardig. Er zit natuurlijk niet veel schot in. Niet zoals uw Mary. Maar ik weet alles van Edna, omdat ze een meisje uit 't dorp is.'

Toen ze de kamer uitging en de hal in, hoorde ze de invalide luid en gemelijk zeggen: 'Nu heb je dit verband helemaal droog laten worden – dokter Allerton heeft nog speciaal gezegd dat 't voortdurend vochtig gehouden moest worden. Toe nou maar, laat 't maar. Ik wou graag een kop thee en een gekookt ei – denk erom maar drie en een halve minuut gekookt, en stuur nu juffrouw Lavinia bij me.'

De bekwame Mary kwam uit de slaapkamer en terwijl ze tegen Lavinia zei: 'Juffrouw Emily vraagt naar u, juffrouw', liep ze naar voren om juffrouw Marple uit te laten, haar in haar jas te helpen en haar paraplu aan te geven, alles op de meest onberispelijke wijze.

Juffrouw Marple nam de paraplu aan, liet die vallen, probeerde hem weer op te rapen en liet haar tas vallen, die openvloog. Mary zocht beleefd alle zaakjes weer bij elkaar – een zakdoek, een opschrijfboekje, een ouderwetse leren beurs, twee shillings, drie pennies en een gestreept stukje pepermuntstok.

Juffrouw Marple nam het laatste met enig tekenen van verlegenheid aan.

'O hemel, dat moet mevrouw Clements kleine jongen gedaan hebben. Hij was eraan aan 't zuigen, herinner ik me, en hij nam mijn tas om mee te spelen. Hij moet 't erin hebben gestopt. 't Is wel erg kleverig, hè?'

'Zal ik 't meenemen, juffrouw?'

'O, zou je dat willen doen? Heel graag.'

Mary bukte zich om het laatste voorwerp op te rapen, een spiegeltje. Toen ze 't weer in haar handen had, riep juffrouw Marple opgewonden uit: 'Wat een geluk dat dit niet gebroken is.'

Daarop ging ze weg, terwijl Mary beleefd bij de deur stond en met een volkomen uitdrukkingloos gezicht een stukje gestreepte pepermuntstok in haar hand hield.

Nog tien dagen lang moest St. Mary Mead horen over de buitengewone hoedanigheden van 'het juweel' van juffrouw Lavinia en juffrouw Emily. Op de elfde dag kreeg het dorp zijn grote sensatie.

Mary, de volmaakte, werd vermist! Haar bed was niet beslapen en de voordeur stond op een kier. Ze was er 's nachts stilletjes vandoor gegaan.

En niet alleen Mary was weg! Twee broches en vijf ringen van juffrouw Lavinia; drie ringen, een hanger, een armband en vier broches van juffrouw Emily waren ook weg!

Het was het begin van een heleboel ellende.

De jonge mevrouw Devereux was haar diamanten kwijt, die ze in een la bewaarde die niet op slot was, en ook een paar kostbare bonten, die ze als huwelijkscadeau had gekregen. Bij de rechter en zijn vrouw waren ook juwelen weggenomen en een zekere som geld. Mevrouw Carmichael was het ergste slachtoffer. Ze had niet alleen enkele zeer waardevolle juwelen in haar flat, maar ook een grote som geld, die beide waren verdwenen. Het was Janets uitgaansavond geweest en haar meesteres had de gewoonte in de schemering in de tuinen rond te lopen om de vogels te roepen en kruimels te strooien. Het leek wel duidelijk, dat Mary, de volmaakte dienstbode, sleutels had gehad die op alle flats pasten.

Het valt niet te ontkennen dat er een zeker leedvermaak heerste in St. Mary Mead. Juffrouw Lavinia had zo opgeschept over haar wonderbaarlijke Mary.

'En ondertussen, lieve, was ze maar een gewone dievegge!'

Er volgden interessante onthullingen. Niet alleen was Mary in het niet verdwenen, maar het bureau dat bemiddeld en voor haar geloofsbrieven ingestaan had, kwam tot de ontstellende ontdekking dat de Mary Higgins die zich tot hen had gewend en wier getuigschrift ze hadden aanvaard, feitelijk nooit had bestaan. Het was de naam van een bonafide dienstbode die bij de bonafide zuster van een deken had gewoond, maar de echte Mary Higgins leefde vredig in een plaatsje in Cornwall.

'Verdraaid handig, de hele zaak,' was inspecteur Slack gedwongen toe te geven. 'En als u 't mij vraagt werkt die vrouw samen met een bende. Een jaar geleden is er ongeveer eenzelfde soort zaak geweest in Northumberland. De gestolen goederen werden nooit gevonden en zij werd nooit gepakt. Maar we zullen 't in Much Benham wel beter doen.'

Inspecteur Slack was altijd een man vol vertrouwen.

Ondanks dat gingen er weken voorbij en Mary Higgins bleef triomfantelijk op vrije voeten. Tevergeefs verdubbelde inspecteur Slack de energie die zo in strijd was met zijn naam.

Juffrouw Lavinia bleef bedroefd. Juffrouw Emily was zo van streek en voelde zich zo geschokt door haar toestand dat ze werkelijk dokter Haydock liet komen.

Het hele dorp was ontzettend verlangend om te weten wat hij dacht van Emily's aanspraken op een slechte gezondheid, maar ze konden het natuurlijk niet vragen. Er werden echter bevredigende gegevens dienaangaande bekend door middel van meneer Meek, de apothekersassistent, die verkering had met Clara, het meisje van mevrouw Price-Ridley. Het werd toen bekend dat dokter Haydock een mengsel van assafoetida en valeriaan had voorgeschreven, wat volgens meneer Meek het stereotiepe geneesmiddel was voor simulanten in het leger!

Niet lang daarna vernam men dat juffrouw Emily, aangezien de medische verzorging die ze had gehad niet naar haar zin was, verklaard had dat zij, met haar gezondheidstoestand, het als haar plicht beschouwde, in de buurt van de specialist in Londen te wonen, die haar geval begreep. Dat was, zei ze, niet meer dan billijk tegenover Lavinia.

De flat werd voor onderverhuur aangeboden.

Enkele dagen later bracht juffrouw Marple, nogal rood en geagiteerd, een bezoek aan het politiebureau van Much Benham en vroeg naar inspecteur Slack.

Inspecteur Slack hield niet van juffrouw Marple. Maar hij was er zich wel van bewust dat de commissaris, kolonel Melchett, die mening niet deelde. Daarom ontving hij haar, hoewel met veel tegenzin.

'Goedemiddag, juffrouw Marple, waarmee kan ik u van dienst zijn?'

'O hemel,' zei juffrouw Marple, 'ik vrees dat u 't erg druk hebt.'

'Ik heb een heleboel te doen,' zei inspecteur Slack, 'maar ik heb wel een ogenblikje tijd.'

'O hemel,' zei juffrouw Marple. 'Ik hoop dat ik wat ik te zeggen heb, behoorlijk uit de doeken kan doen. Zo moeilijk om jezelf duidelijk uit te drukken, vindt u ook niet? Nee, dat zult u wel niet vinden. Maar ziet u, daar ik niet in de moderne stijl ben opgevoed – alleen maar door een gouvernante, weet u, die je de jaartallen van de koningen van Engeland leerde en algemene ontwikkeling – en dokter Brewer – drie soorten tarweziekten – luis, meeldauw – nou, wat was de derde – was dat brand?'

'Wilde u over een brand praten?' vroeg inspecteur Slack een beetje spottend.

'O nee, nee', juffrouw Marple verwierp haastig elk verlangen om over een brand te praten. 'Dit was maar een toelichting, weet u. En hoe naalden worden gemaakt en dat soort dingen. Veelomvattend, weet u, maar er werd je niet geleerd je bij je onderwerp te houden. En dat wil ik nu graag doen. 't Gaat over 't dienstmeisje van juffrouw Skinner, Gladys, weet u.'

'Mary Higgins,' zei inspecteur Slack.

'O ja, dat was 't tweede meisje. Maar ik bedoel Gladys Holmes, nogal een brutaal meisje en veel te veel met zichzelf ingenomen, maar werkelijk volkomen eerlijk en 't is heel belangrijk dat dat zal worden erkend.'

'Voor zover ik weet is er geen aanklacht tegen haar,' zei de inspecteur.

'Nee, ik weet dat er geen aanklacht is – maar dat maakt 't nog erger. Want, ziet u, de mensen gaan nu steeds meer denken. O hemel – ik wist dat ik 't niet goed zou uitleggen. Wat ik werkelijk bedoel is, dat 't zo belangrijk is Mary Higgins te vinden.'

'Zeker,' zei inspecteur Slack. 'Hebt u bepaalde denkbeelden over de zaak?'

'Nou, die heb ik eigenlijk wel,' zei juffrouw Marple. 'Mag ik u iets vragen? Hebt u niets aan vingerafdrukken?'

'Ach,' zei inspecteur Slack, 'daarmee was ze ons te slim af. Ze deed haar meeste werk met rubber handschoenen of huishoudhandschoenen aan, naar 't lijkt. En ze is voorzichtig geweest – alles afgeveegd in haar slaapkamer en bij de aanrecht. We konden geen enkele vingerafdruk in 't huis vinden!'

'Zou 't helpen als u haar vingerafdrukken wèl had?'

'Misschien wel, juffrouw. Ze zijn misschien bij Scotland Yard wel bekend. Ik zou zo zeggen dat dit niet haar eerste zaakje is!'

Juffrouw Marple knikte vrolijk. Ze opende haar tas en haalde er een klein kartonnen doosje uit. Erbinnenin, tussen watten, lag een spiegeltje.

'Uit mijn tas,' zei juffrouw Marple. 'De vingerafdrukken van 't meisje staan erop. Ik denk wel dat die voldoende geslaagd zijn – ze hield even tevoren een vreselijk kleverige substantie vast.'

Inspecteur Slack keek stomverbaasd.

'Heeft u haar vingerafdrukken met opzet genomen?'

'Natuurlijk.'

'Verdacht u haar dan?'

'Nu, weet u, 't viel me wel op dat ze een beetje te goed was om waar te zijn. Ik heb 't juffrouw Lavinia nagenoeg gezegd. Maar ze wilde niet op mijn wenk ingaan! Weet u, inspecteur, ik kan helaas niet in volmaaktheid geloven. De meesten van ons hebben onze fouten – en als men ergens in dienstbetrekking is, komen ze heel spoedig aan 't licht!'

'Nu,' zei inspecteur Slack, die weer tot zichzelf kwam, 'ik ben u in elk geval zeer verplicht. We zullen deze naar de Yard opsturen en zien wat ze te zeggen hebben.'

Hij zweeg. Juffrouw Marple hield haar hoofd een beetje schuin en zat hem met een heel betekenisvolle blik aan te kijken.

'Ik veronderstel, inspecteur, dat u niet zou willen overwegen 't een beetje dichter bij huis te zoeken?'

'Wat bedoelt u, juffrouw Marple?'

''t Is moeilijk uit te leggen, maar als je iets eigenaardigs tegenkomt, valt dat je op. Ofschoon dikwijls eigenaardigheden heel onbetekenende kleinigheden kunnen zijn. Dat heb ik de hele tijd gevoeld, weet u; ik bedoel betreffende Gladys en de broche. Ze is een eerlijk meisje; ze heeft die broche niet weggenomen. Maar waarom dacht juffrouw Skinner dan dat ze 't wel had gedaan? Juffrouw Skinner is niet gek; verre van dat! Waarom was ze zo verlangend een meisje te laten gaan dat een goed dienstmeisje was, terwijl dienstmeisjes zo moeilijk te krijgen zijn? Dat was eigenaardig, weet u. Daar verbaasde ik me dus over. Ik verbaasde me over nog meer. En ik merkte nog iets eigenaardigs. Juffrouw Emily is een zwaarmoedig persoon, maar ze is de eerste van die soort die niet meteen een of andere dokter laat komen. Zwaarmoedige mensen zijn dol op dokters. Juffrouw Emily niet!'

'Waar wilt u op aansturen, juffrouw Marple?'

'Nu, ik zou hierop willen aansturen, weet u, dat juffrouw Lavinia en juffrouw Emily eigenaardige mensen zijn. Juffrouw Emily brengt bijna al haar tijd in een donkere kamer door. En als dat haar van haar geen pruik is – dan eet ik mijn eigen vlecht op! En ik zeg maar zo – 't is heel goed mogelijk voor een magere, bleke, grijsharige jammerende vrouw om dezelfde persoon te zijn als een zwartharige, roodwangige dikke vrouw. En ik kan niemand vinden die juffrouw Emily en Mary Higgins ooit te zamen heeft gezien op een en hetzelfde ogenblik.

Volop tijd om afdrukken van alle sleutels te krijgen, volop tijd om alles uit te vinden over de andere huurders en dan – zich van 't meisje uit de plaats te ontdoen. Juffrouw Emily maakt op een avond een fikse wandeling in de omtrek en komt de volgende dag op 't station aan als Mary Higgins. En dan verdwijnt Mary Higgins weer op 't juiste moment en wordt 't verzoek om haar aanhouding uitgezonden. Ik zal u zeggen waar u haar kunt vinden, inspecteur. Op de sofa van Emily Skinner! Neem haar vingerafdrukken, als u me niet gelooft, maar u zult zien dat ik gelijk heb! Een paar handige dieven, dat zijn die Skinners! En ongetwijfeld samenwerkend met een gewiekste heelmeester of heler of hoe je 't maar noemen wilt. Maar ze zullen er dit keer niet mee wegkomen! Ik ben niet van plan te dulden dat op zo'n manier afbreuk wordt gedaan aan de reputatie van eerlijkheid van een van onze dorpsmeisjes! Gladys Holmes is zo eerlijk als goud en iedereen zal dat weten! Goedemiddag!'

Juffrouw Marple was naar buiten geschreden, voor inspecteur Slack van zijn verbazing bekomen was.

'Wel foei,' mopperde hij. 'Zou ze gelijk hebben?'

Hij kwam al gauw tot de ontdekking dat juffrouw Marple weer gelijk had gehad.

Kolonel Melchett complimenteerde Slack over zijn bekwaamheid en juffrouw Marple vroeg Gladys op de thee met Edna en sprak er ernstig met haar over dat ze nu in één goede betrekking moest blijven, als ze er een kreeg.

Het geval van de huisbewaarster

'En,' vroeg dokter Haydock aan zijn patiënte. 'Hoe gaat 't vandaag?'

Juffrouw Marple glimlachte flauwtjes tegen hem vanuit de kussens.

'Ik geloof heus dat ik wat beter ben,' gaf ze toe, 'maar ik voel me zo vreselijk neerslachtig. Ik heb maar steeds 't gevoel dat 't zoveel beter zou zijn geweest, als ik was doodgegaan. Tenslotte ben ik een oude vrouw. Niemand heeft me nodig of geeft om me.'

Dokter Haydock viel haar met zijn gewone bruuskheid in de rede:

'Ja, ja, typische nasleep van dit soort "griep". U hebt behoefte aan iets dat u afleiding geeft. Een geestelijk tonicum.'

Juffrouw Marple zuchtte en schudde het hoofd.

'En wat meer is,' vervolgde dokter Haydock, 'ik heb mijn medicijn meegebracht.'

Hij wierp een lange envelop op het bed.

'Juist iets voor u. 't Soort puzzel dat precies in uw lijn ligt.'

'Een puzzel?' Juffrouw Marple keek geïnteresseerd.

'Een litteraire poging van mij,' zei de dokter een beetje blozend. 'Ik heb geprobeerd er een behoorlijk verhaal van te maken. "Hij zei, zij zei, 't meisje dacht enz." De feiten van 't verhaal zijn waar.'

'Maar waarom is 't een puzzel?' vroeg juffrouw Marple.

Dokter Haydock grinnikte. 'Omdat u de verklaring moet geven. Ik wil eens zien of u zo knap bent als u altijd beweert.'

Met dat laatste schot vertrok hij.

Juffrouw Marple nam het manuscript op en begon te lezen.

'En waar is de bruid?' vroeg juffrouw Harmon opgewekt.

Het dorp was helemaal in opwinding om de rijke en knappe jonge vrouw te zien die Harry Laxton uit het buitenland mee naar huis had gebracht. Er heerste een algemeen gevoelen van toegeeflijkheid, nu Harry – die slechte jonge deugniet – zoveel geluk had gehad. Iedereen was altijd toegeeflijk geweest tegenover Harry. Zelfs de eigenaars van ruiten, die onder het gebruik van zijn catapult, zonder aanzien des persoons, hadden geleden, ontdekten dat hun verontwaardiging was verdwenen bij Harry's nederige betuigingen van spijt. Hij had ruiten gebroken, boomgaarden geplunderd, konijnen gestroopt en later schulden gemaakt, was in een liefdesgeschiedenis verwikkeld geraakt met de dochter van de plaatselijke sigarenwinkelier – daar weer van losgeraakt en naar Afrika gestuurd – en het dorp, vertegenwoordigd door verschillende oude vrijsters, had toegeeflijk gemompeld: 'Och kom! De wilde haren! Hij zal wel tot rust komen!'

En nu was dan werkelijk de verloren zoon teruggekeerd – niet diepbedroefd maar triomfantelijk. Harry Laxton was 'geslaagd in het leven', zoals men zegt. Hij had zich vermand, hard gewerkt en had tenslotte een jong Engels-Frans meisje ontmoet en haar met succes het hof gemaakt; ze was de bezitster van een aanzienlijk fortuin.

Harry had misschien in Londen kunnen gaan wonen of een landgoed kopen in een of ander jachtgebied dat erg in trek was, maar hij verkoos terug te komen naar dat deel van de wereld waar hij thuis was. En daar had hij, op de meest romantische wijze, het verwaarloosde landgoed gekocht in welks 'weduwenhuis' hij zijn kinderjaren had doorgebracht.

Kingsdean House was bijna zeventig jaar lang onbewoond geweest. Het was langzaam aan tot een staat van verval en verlatenheid geraakt. Een oude huisbewaarder en zijn vrouw woonden in de enige bewoonbare hoek. Het was een enorm, ongezellig, grandioos huis, de tuinen waren overwoekerd door een te weelderige plantengroei en de bomen omsloten het als een of ander somber tovenaarshol.

Het 'weduwenhuis' was een prettig, bescheiden huis en was jarenlang verhuurd geweest aan majoor Laxton, Harry's vader. Als jongen had Harry over het Kingsdean landgoed gezworven en hij kende elk paadje van de duistere bossen, en het oude huis zelf had hem altijd geboeid.

Majoor Laxton was enkele jaren geleden gestorven, dus zou men verwachten dat Harry geen banden meer had die hem daarheen trokken – en toch bracht Harry zijn bruid naar het huis van zijn jongensjaren. Het vervallen oude Kingsdean House werd afgebroken. Een leger van aannemers en bouwvakarbeiders stortte zich op de plaats en in een bijna wonderbaarlijk korte tijd – zulke wonderen kan rijkdom verrichten – verrees het nieuwe huis wit en glanzend tussen de bomen.

Vervolgens kwam er een menigte tuinlieden en daarna een optocht van verhuiswagens.

Het huis was klaar. Er kwam dienstpersoneel. Tenslotte zette een kostbare limousine Harry en mevrouw Harry bij de voordeur af.

Het dorp haastte zich bezoeken af te leggen, en mevrouw Price, die het grootste huis bezat en zichzelf als de leidende persoon in de dorpsgemeenschap beschouwde, zond invitatiekaarten rond voor een partij 'om met de bruid kennis te maken'.

Het was een hele gebeurtenis. Verschillende dames hadden nieuwe japonnen aan voor de gelegenheid. Iedereen was opgewonden, nieuwsgierig, verlangend dit fabuleuze persoontje te zien. Ze zeiden dat alles zo net een sprookje was!

Juffrouw Harmon, een verweerde echte oude vrijster, had meteen een vraag, terwijl ze zich door de volte bij de salondeur drong. De kleine juffrouw Brent, een magere, verzuurde oude vrijster, gaf gejaagd inlichtingen.

'O lieve, heel charmant. Zulke goede manieren. En heel jong. Weet je, 't geeft je werkelijk een beetje een jaloers gevoel als je iemand ziet die zó alles mee heeft. Knap uiterlijk en geld en goed opgevoed – zeer beschaafd, geen spoor van burgerlijkheid – en die lieve Harry zo toegewijd!'

'Och,' zei juffrouw Harmon, 'ze zijn nog maar net begonnen!'

Juffrouw Brents dunne neus trilde gevoelig.

'O lieve, denk je heus –'

'We weten allemaal hoe Harry is,' zei juffrouw Harmon.

'We weten hoe hij was! Maar ik verwacht dat hij nu –'

'Och,' zei juffrouw Harmon, 'mannen zijn altijd hetzelfde. Eenmaal een brutale bedrieger, altijd een brutale bedrieger. Ik ken hen.'

'Och hemel. Arm jong ding.' Juffrouw Brent keek veel vrolijker. 'Ja, ik verwacht wel dat ze moeilijkheden met hem zal krijgen. Iemand behoorde haar eigenlijk te waarschuwen. Zou ze iets van die oude geschiedenis hebben gehoord?'

' 't Lijkt zo vreselijk oneerlijk dat ze niets zou weten,' zei juffrouw Brent. 'Zo penibel. Vooral met alleen die ene drogisterij in het dorp.'

Want de dochter van de vroegere sigarenwinkelier was nu getrouwd met meneer Edge, de drogist.

''t Zou veel prettiger zijn,' zei juffrouw Brent, 'als mevrouw Laxton bij Boots in Much Benham zou kopen.'

'Ik denk wel,' zei juffrouw Harmon, 'dat Harry Laxton dat zelf zal voorstellen.'

En weer wisselden ze een blik van verstandhouding.

'Maar ik vind beslist dat ze 't zou moeten weten,' zei juffrouw Harmon.

'Beesten!' zei Clarice Vane verontwaardigd tegen haar oom, dokter Haydock. 'Sommige mensen zijn werkelijk net beesten.'

Hij keek haar nieuwsgierig aan.

Ze was een lang, donker meisje, knap, hartelijk en impulsief. Haar grote bruine ogen waren nu fel van verontwaardiging, toen ze zei: 'Al die katten – die over alles kletsen – en bedekte toespelingen maken.'

'Over Harry Laxton?'

'Ja, over zijn verhouding met de dochter van de sigarenwinkelier.'

'O, dat!' De dokter haalde zijn schouders op. 'Een heleboel jonge mannen hebben van dat soort verhoudingen gehad.'

'Natuurlijk hebben ze dat. En alles is voorbij. Waarom er dan steeds op terugkomen? En 't na jaren weer oprakelen? 't Is net een stelletje aasgieren.'

'Zo zal 't jou zeker wel toeschijnen, liefje. Maar, zie je, er is hier erg weinig om over te praten en dus hebben ze, helaas, nu eenmaal de neiging om over vroegere schandaaltjes uit te weiden. Maar ik ben benieuwd waarom 't jou zo opwindt.'

Clarice Vane beet op haar lip en bloosde. Ze zei met een eigenaardig verstikte stem: 'Ze – ze zien er zo gelukkig uit. De Laxtons, bedoel ik. Ze zijn jong en verliefd en 't is allemaal zo heerlijk voor hen. Ik vind 't vreselijk te moeten denken dat 't door praatjes, toespelingen en insinuaties en onaardigheid in 't algemeen zou worden bedorven.'

'Hm. Ik begrijp 't.'

Clarice ging verder: 'Ik heb hem daarnet nog gesproken. Hij is zo gelukkig en geestdriftig en blij en – ja, ontroerd – nu zijn hartewens vervuld en Kingsdean weer opgebouwd is. Hij is er kinderlijk verheugd over. En zij – nou, ik geloof niet dat er in haar hele leven ooit iets verkeerd is gegaan. Ze heeft altijd alles kunnen krijgen. U hebt haar gezien. Wat vond u van haar?'

De dokter gaf niet dadelijk antwoord. Andere mensen zou Louise Laxton waarschijnlijk wel benijdenswaardig lijken. Een verwende lieveling der fortuin. Hem had ze alleen maar doen denken aan het refrein van een populair liedje van jaren geleden: 'Arm klein rijk meisje. . .'

Een klein, tenger figuurtje met goudblond haar in enigszins stijve krullen om haar gezichtje en grote droefgeestige ogen.

Louise trok een beetje weg. De grote stroom gelukwensen had haar vermoeid. Ze hoopte maar dat het gauw tijd zou zijn om weg te gaan. Misschien zou Harry het zelfs nu al zeggen. Ze keek hem van terzijde aan. Zo groot en breedgeschouderd met zijn geestdriftig plezier in deze vreselijk saaie partij.

'Arm klein rijk meisje. . .'

'Oef!' Het was een zucht van verlichting.

Harry wendde zich met een geamuseerde blik naar zijn vrouw. Ze reden van de partij naar huis. Ze zei: 'Lieveling, wat een vreselijke partij!'

Harry lachte.

'Ja, tamelijk vervelend. Trek 't je niet aan, liefste. 't Moest wel gebeuren, weet je. Al deze oude tantes hebben me gekend, toen ik hier als jongen heb gewoond. Ze zouden verschrikkelijk teleurgesteld zijn geweest, als ze je niet van dichtbij hadden kunnen bekijken.'

Louise trok een gezicht. Ze zei: 'Zullen we hen dikwijls moeten bezoeken?'

'Wat? O, nee. Ze zullen beleefdheidsbezoeken komen brengen met visitekaartjes en je zult een tegenbezoek brengen en dan behoef je je verder niet om ze te bekommeren. Je kunt je eigen vrienden uitnodigen of wat je maar wilt.'

Louise zei na enkele ogenblikken: 'Woont hier niemand die een beetje gezellig is?'

'O ja. Je hebt de landelijke aristocratie, weet je. Hoewel je die misschien ook wel een beetje saai zult vinden. Die zijn voornamelijk geïnteresseerd in bloembollen, honden en paarden. Je kunt natuurlijk gaan rijden. Dat zul je prettig vinden. Ginds in Eglinton is een paard dat ik je graag zou laten zien. Een prachtig dier, perfect getraind, geen kuren, maar vol spirit.'

De auto verminderde snelheid om de hekken van Kingsdean in te draaien. Harry rukte aan het stuur en vloekte, toen een fantastische gestalte midden op de weg sprong en hij er maar net in slaagde haar te ontwijken. Ze stond daar en schudde haar vuist tegen hen en schreeuwde hen na.

Louise greep zijn arm. 'Wie is die – die vreselijke oude vrouw?'

Harry keek donker.

'Dat is de oude vrouw Murgatroyd. Zij en haar man zijn huisbewaarders geweest in 't oude huis. Ze hebben daar bijna dertig jaar gewoond.'

'Waarom schudt ze haar vuist tegen je?'

Harry's gezicht werd rood.

'Ze – och, ze neemt 't me kwalijk dat 't huis afgebroken is. En ze is natuurlijk ontslagen. Haar man is sinds twee jaar dood. Ze zeggen dat ze een beetje vreemd is geworden na zijn dood.'

'Lijdt ze – ze lijdt toch geen armoede?'

Louises ideeën waren vaag en een beetje melodramatisch. Rijkdom bracht je niet met de werkelijkheid in aanraking.

Harry was diep verontwaardigd.

'Lieve hemel, Louise, wat een idee! Natuurlijk heb ik haar een pensioen gegeven – en behoorlijk ook! Ik heb een nieuw huisje voor haar gevonden en alles.'

Louise vroeg onthutst: 'Waarom vindt ze 't dan zo erg?'

Harry fronste zijn voorhoofd en trok zijn wenkbrauwen samen: 'O, hoe zou ik dat weten? Gewoon gek! Ze hield van 't huis.'

'Maar 't was toch bouwvallig, nietwaar?'

'Natuurlijk was 't dat – 't zakte in elkaar – 't dak was lek – min of meer onveilig. Maar ondanks dat geloof ik dat 't wat voor haar heeft betekend. Ze heeft er lange tijd gewoond. O, ik weet 't niet. Die oude duivelin is getikt, denk ik.'

Louise zei slecht op haar gemak: 'Ze – ik geloof dat ze ons heeft vervloekt. O Harry, ik wou dat ze dat niet had gedaan.'

Het leek Louise toe dat haar nieuwe huis was bezoedeld en vergiftigd door de boosaardige gestalte van een krankzinnige oude vrouw. Als ze in de auto uitging, als ze paard reed, als ze wandelde met de honden, altijd stond diezelfde gestalte op haar te wachten. Ineengedoken, met een gedeukte hoed op pieken grijs haar en langzaam verwensingen prevelend.

Louise kwam ertoe te geloven dat Harry gelijk had – de oude vrouw was gek. Maar dat maakte de zaak niet gemakkelijker. Vrouw Murgatroyd kwam feitelijk nooit naar het huis, ze uitte ook geen bepaalde dreigementen, noch molesteerde ze haar. Haar gehurkte gestalte bleef altijd net buiten het hek. Een beroep op de politie doen zou nutteloos zijn, en in elk geval voelde Harry Laxton er niet voor. Dat zou, zei hij, in de plaats maar sympathie voor de oude heks oproepen. Hij nam het gemakkelijker op dan Louise.

'Maak je er geen zorgen over, lieveling. Ze zal wel genoeg krijgen van dat dwaze verwensingsgedoe. Misschien probeert ze alleen maar eens, hoever ze kan gaan.'

'Dat doet ze niet, Harry. Ze – ze haat ons! Dat voel ik. Ze – ze wenst ons kwaad toe.'

'Ze is geen heks, lieveling, al ziet ze er wel naar uit! Je moet niet ziekelijk over dat alles doen.'

Louise zweeg. Nu de eerste opwinding over het inrichten van het huis voorbij was, voelde ze zich wonderlijk eenzaam en zonder bezigheden. Ze was gewend geweest aan een leven in Londen en aan de Riviera. Ze had geen idee van of gevoel voor het leven op het Engelse platteland. Ze wist niets van tuinieren, behalve het laatste bedrijf van 'bloemen schikken'. Ze gaf eigenlijk niet om honden. De buren die ze had ontmoet verveelden haar. Ze hield het meest van paardrijden, soms met Harry, soms, als hij met het landgoed bezig was, alleen. Ze reed kalm door de bossen en lanen, zich verheugend in de gemakkelijke gang van het paard dat Harry voor haar had gekocht. Maar toch placht zelfs Prince Hal, een heel gevoelig, donkerbruin ros, schichtig te worden en te snuiven, als hij zijn meesteres voorbij de ineengedoken gestalte van die kwaadaardige oude vrouw droeg.

Op een dag vatte Louise moed. Ze was gaan wandelen. Ze was langs vrouw Murgatroyd gelopen, terwijl ze deed alsof ze haar niet zag, maar plotseling liep ze terug en ging recht op haar af. Ze zei een beetje ademloos: 'Wat is er toch? Wat is er aan de hand? Wat wilt u toch?'

De oude vrouw gluurde naar haar. Ze had een sluw, donker zigeunersgezicht, met pieken grijs haar en lepe, achterdochtige ogen. Louise vroeg zich af of ze aan de drank zou zijn.

Ze sprak op jammerende en toch dreigende toon: 'Wat ik wil, vraagt u? Ja, wat zou ik nou willen! Dat wat me ontnomen is! Wie heeft me uit Kingsdean House gezet? Ik heb daar gewoond als meisje en als vrouw gedurende bijna veertig jaar. 't Was een slechte daad me eruit te zetten en 't zal u en hem ellende en ongeluk brengen!'

Louise zei: 'U hebt een heel aardig huisje gekregen en –'

Ze zweeg. De oude vrouw hief haar armen omhoog. Ze schreeuwde: 'Wat heb ik daaraan? Ik wil mijn eigen huis en mijn eigen vuur, waarbij ik al die jaren heb gezeten. En wat u en hem betreft, ik zeg u dat er geen geluk zal zijn voor u in uw nieuwe mooie huis. Er zal groot verdriet over u komen! Verdriet en dood en mijn vloek. Moge uw mooie gezicht verwelken.'

Louise draaide zich om en begon struikelend weg te rennen. Ze dacht: 'Ik moet hier vandaan! We moeten het huis verkopen! We moeten weggaan.'

Op dat ogenblik leek de oplossing haar eenvoudig toe. Maar Harry's totale onbegrip bracht haar van haar stuk. Hij riep uit: 'Hier weggaan? 't Huis verkopen? Vanwege de dreigementen van een gekke oude vrouw? Je lijkt zelf wel gek.'

'Nee, dat ben ik niet. Maar ze – ze maakt me bang. Ik wéét dat er iets zal gebeuren.'

Harry Laxton zei grimmig: 'Laat vrouw Murgatroyd maar aan mij over. Ik zal haar wel de mond snoeren.'

Clarice Vane en de jonge mevrouw Laxton waren goede vriendinnen geworden. De twee meisjes waren ongeveer van dezelfde leeftijd, hoewel heel verschillend van karakter en in smaak. In Clarices bijzijn vond Louise rust. Clarice was zo beslist, zo zeker van zichzelf. Louise vertelde het geval van vrouw Murgatroyd en haar bedreigingen, maar Clarice scheen die zaak meer ergerlijk dan angstaanjagend te vinden.

''t Is gewoon onzinnig, zoiets,' zei ze. 'En werkelijk erg vervelend voor je.'

'Weet je, Clarice, ik – ik ben soms echt bang. Dan slaat me de schrik om 't hart.'

'Onzin, je moet je niet door zoiets onzinnigs uit 't veld laten slaan. Ze zal er binnenkort wel genoeg van krijgen.'

Louise zweeg enkele ogenblikken. Clarice zei: 'Wat is er?'

Louise wachtte even, toen barstte ze opeens uit: 'Ik haat deze plaats! Ik vind 't hier vreselijk. De bossen en dit huis en die ontzettende stilte 's nachts en 't rare geluid dat de uilen maken. O, en de mensen en alles.'

'De mensen? Welke mensen?'

'De mensen in 't dorp. Die kletsende oude vrijsters, die overal hun neus in steken!'

Clarice zei scherp: 'Wat hebben ze gezegd?'

'Ik weet 't niet. Niets bijzonders. Maar ze hebben lelijke bedoelingen. Als je met hen hebt gepraat, voel je dat je niemand kunt vertrouwen – helemaal niemand.'

Clarice zei streng: 'Denk niet meer aan hen. Ze hebben niets anders te doen dan te kletsen. En de meeste praatjes die ze vertellen verzinnen ze zelf.'

Louise zei: 'Ik wou dat we hier nooit gekomen waren. Maar Harry vindt 't zo heerlijk.' Haar stem verzachtte. Clarice dacht: Wat is ze dol op hem.

Ze zei kortaf: 'Ik moet nu gaan.'

'Ik zal je met de auto laten wegbrengen. Kom weer eens gauw.'

Clarice knikte. Louise voelde zich door het bezoek van haar nieuwe vriendin meer op haar gemak. Harry vond het prettig dat ze opgewekter was en drong er van toen af bij haar op aan Clarice dikwijls op bezoek te laten komen.

Toen zei hij op een dag: 'Goed nieuws voor je, lieveling.'

'Ja? Wat?'

'Ik heb een oplossing gevonden voor die Murgatroyd. Ze heeft een zoon in Amerika, weet je. Nou, ik heb 't zo geregeld dat ze daar naar toe kan gaan. Ik zal haar overtocht betalen.'

'O Harry, wat heerlijk. Ik geloof dat ik misschien toch nog wel van Kingsdean zal gaan houden.'

'Er van gaan houden? Wel, 't is de verrukkelijkste plaats van de wereld!'

Louise huiverde even. Ze kon nog niet zo gauw loskomen van haar bijgelovige vrees.

Als de dames van St. Mary Mead hadden gehoopt dat ze het genoegen zouden kunnen hebben de bruid in te lichten omtrent het verleden van haar echtgenoot, dan werd het genoegen hun wel ontnomen door het feit dat Harry Laxton zelf de touwtjes in handen nam.

Juffrouw Harmon en Clarice Vane waren allebei in de winkel van meneer Edge, waar de een motballen kocht en de ander een pakje borax, toen Harry Laxton en zijn vrouw binnenkwamen.

Nadat Harry de beide dames had begroet, wendde hij zich naar de toonbank en had juist naar een tandenborstel gevraagd, toen hij midden in zijn vraag bleef steken en vrolijk uitriep: 'Wel, wel, kijk eens wie we daar hebben! Dat is warempel Bella.'

Mevrouw Edge, die haastig uit de huiskamer achter was komen aanlopen om in de volle winkel te helpen, begroette hem opgewekt, met een stralende glimlach. Ze was een knap, donker meisje geweest en was nog een betrekkelijk knappe vrouw, hoewel ze zwaarder was geworden en de lijnen van haar gezicht wat scherper. Maar haar grote bruine ogen glansden, toen ze antwoordde: 'Ja, 't is Bella, meneer Harry, en ik ben blij u weer te zien na al die jaren.'

Harry wendde zich tot zijn vrouw.

'Bella is een oude vlam van me, Louise,' zei hij. 'Hopeloos verliefd op haar geweest, nietwaar, Bella?'

'U zegt 't,' zei mevrouw Edge.

Louise lachte. Ze zei: 'Mijn man voelt zich erg gelukkig, nu hij al zijn oude vrienden weer ziet.'

'O,' zei mevrouw Edge, 'we zijn u niet vergeten, meneer Harry. 't Is als een sprookje, te bedenken dat u getrouwd bent en een nieuw huis in de plaats van dat vervallen oude Kingsdean House hebt laten zetten.'

'Je ziet er gezond en blozend uit,' zei Harry, en mevrouw Edge lachte en zei dat er niets met haar aan de hand was en hoe zat het met die tandenborstel?

Clarice, die de onthutste blik op het gezicht van juffrouw Harmon gadesloeg, zei bij zichzelf juichend: 'O, dat heb je goed gedaan, Harry, je hebt hun de wind uit de zeilen genomen.'

Dokter Haydock zei kortaf tegen zijn nichtje: 'Wat is dat voor onzin dat die oude vrouw Murgatroyd om Kingsdean heen zou hangen en haar vuist schudden en de nieuwe bewoners vervloeken?'

'Dat is geen onzin. 't Is volkomen waar. 't Heeft Louise erg van streek gebracht.'

'Zeg maar tegen haar dat ze zich niet bezorgd hoeft te maken – toen de Murgatroyds huisbewaarders waren, deden ze niet anders dan mopperen over 't huis – ze bleven er alleen omdat Murgatroyd aan de drank was en geen ander baantje kon krijgen.'

'Ik zal 't haar vertellen,' zei Clarice weifelend, 'maar ik denk niet dat ze u zal willen geloven. De oude vrouw barst letterlijk van woede.'

'Ze is altijd dol op Harry geweest toen hij een jongen was. Ik begrijp 't niet.'

Clarice zei: 'Nou ja – ze zullen haar weldra kwijt zijn. Harry zal haar overtocht naar Amerika betalen.'

Drie dagen later werd Louise van haar paard geworpen en gedood.

Twee mannen in een bakkersbestelwagen waren getuigen van het ongeluk. Ze zagen Louise het hek uitrijden, zagen de oude vrouw opspringen en op de weg gaan staan, zwaaiend met haar armen en schreeuwend. Ze zagen hoe het paard schrok, zwenkte en toen blindelings op hol sloeg de weg af en Louise Laxton over zijn hoofd afwierp.

Een van hen boog zich over de bewusteloze gestalte, niet wetend wat te doen, terwijl de ander naar het huis snelde om hulp te halen.

Harry Laxton kwam naar buiten hollen, met doodsbleek gezicht. Ze haalden een deur uit de wagen en droegen haar daarop naar huis. Ze stierf zonder tot bewustzijn te zijn gekomen en nog voordat de dokter kwam.

(Einde van dokter Haydocks manuscript.)

Toen dokter Haydock de volgende dag kwam, zag hij tot zijn genoegen dat juffrouw Marple meer kleur op haar wangen had en beslist opgewekter was in haar doen en laten.

'En,' zei hij, 'hoe luidt de uitspraak?'

'Wat is 't probleem?' voerde juffrouw Marple aan.

'O, mijn beste juffrouw, moet ik u dat nog vertellen?'

'Ik veronderstel,' zei juffrouw Marple, 'dat 't gaat om 't eigenaardige gedrag van de huisbewaarster. Waarom deed ze zo bespottelijk? Er zijn mensen die 't ontzettend vinden uit hun huis te worden gezet. Maar 't was haar eigen huis niet. Ze placht daarentegen te klagen en te brommen, toen ze daar woonde. Ja, er zit echt wel een luchtje aan. Tussen haakjes, wat is er met haar gebeurd?'

'Ze kneep er tussenuit naar Liverpool. 't Ongeluk had haar in paniek gebracht. Ze vond dat ze beter daar op haar boot kon wachten.'

'Dat viel voor een zeker iemand allemaal heel goed uit,' zei juffrouw Marple. 'Ja, ik denk dat 't "probleem van het gedrag van de huisbewaarster" heel gemakkelijk opgelost kan worden. Omkoperij, denkt u niet?'

'Is dat uw gevolgtrekking?'

'Nu, als 't niet haar gewoonte was zich zo te gedragen, moet ze dus "een rol hebben gespeeld", zoals de mensen zeggen, en dat betekent dat iemand haar heeft betaald om te doen wat zij heeft gedaan.'

'En u weet wie die iemand was?'

'Ja, dat geloof ik wel. Ik vrees dat 't weer een kwestie van geld is. En ik heb altijd opgemerkt dat mannen de neiging hebben hetzelfde type te bewonderen.'

'Nu kan ik u toch niet volgen.'

'Ja, ja, 't hangt allemaal samen. Harry Laxton bewonderde Bella Edge, een donker, levendig type. Uw nichtje Clarice was ook zo. Maar de arme kleine vrouw was van een heel ander type – blond en aanhankelijk – helemaal zijn type niet. Dus moet hij haar om haar geld hebben getrouwd. En haar ook om haar geld hebben vermoord!'

'U gebruikt 't woord vermoorden?'

'Nou, hij is er wel de man naar. Aantrekkelijk voor vrouwen en zeer gewetenloos. Ik denk dat hij zijn vrouws geld wilde behouden en uw nichtje trouwen. Misschien hebben ze hem zien praten met mevrouw Edge. Maar ik geloof niet dat hij nog langer op haar gesteld was. Ofschoon hij de arme vrouw zeker liet geloven dat hij dat wel was, voor zijn eigen doeleinden. Ik denk wel dat hij haar al spoedig onder de duim had.'

'Hoe heeft hij haar precies vermoord, denkt u?'

Juffrouw Marple staarde een paar minuten met dromerige blauwe ogen voor zich uit.

''t Was goed uitgestippeld – met de lui uit de bestelwagen als getuigen. Zij konden de oude vrouw zien en zouden natuurlijk de schrik van 't paard daaraan toeschrijven. Maar ik zou voor mezelf denken dat een luchtbuks of misschien een catapult – hij placht goed met een catapult te kunnen schieten. – Ja, net toen 't paard door 't hek kwam. 't Paard sloeg natuurlijk op hol en mevrouw Laxton werd eraf geworpen.'

Ze zweeg even, met gefronst voorhoofd.

'De val zou haar wel hebben kunnen doden. Maar daar kon hij niet zeker van zijn. En het schijnt wel 't soort man te zijn, die zijn plannen zorgvuldig beraamt en niets aan 't toeval overlaat. Tenslotte kon mevrouw Edge hem wel iets geschikts verschaffen zonder dat haar man 't wist. Waarom maakte Harry zich anders druk om haar? Ja, ik denk dat hij een of ander zwaar bedwelmend middel bij de hand heeft gehad, dat kon worden toegediend voor u kwam. Als een vrouw van haar paard wordt geworpen en ernstige kwetsuren heeft en sterft zonder tot bewustzijn te zijn gekomen, och – dan zal een dokter normaal gesproken niet achterdochtig zijn, denkt u wel? Hij zou 't aan shock toeschrijven of zoiets.'

Dokter Haydock knikte.

'Waardoor kreeg u achterdocht?' vroeg juffrouw Marple.

''t Was geen speciale kundigheid van mijn kant,' zei dokter Haydock. ''t Was alleen 't banale, welbekende feit dat een moordenaar zo met zijn eigen handigheid ingenomen raakt dat hij niet de nodige voorzorgen neemt. Ik stond juist een paar woorden van troost tot de beroofde echtgenoot te zeggen – en ik had heus nog erg met de kerel te doen – toen hij zich op de sofa wierp om even een kleine voorstelling te geven, waarbij er een injectiespuitje uit zijn zak viel.

Hij raapte 't haastig op en zag er zo verschrikt uit dat ik begon na te denken. Harry Laxton gebruikte geen verdovende middelen, hij was volmaakt gezond, wat deed hij dan met een injectiespuit? Ik heb de sectie verricht, met 't oog op bepaalde mogelijkheden. Ik vond strofantine. De rest is gemakkelijk. Laxton had strofantine in zijn bezit en Bella Edge viel door de mand toen ze door de politie werd ondervraagd en gaf toe dat ze 't hem had verschaft. En tenslotte bekende de oude vrouw Murgatroyd dat Harry Laxton haar had opgestookt om die verwensingsvertoning op te voeren.'

'En is uw nichtje eroverheen gekomen?'

'Ja, ze voelde zich wel aangetrokken tot de man, maar 't zat niet zo diep.'

De dokter nam het manuscript op.

'Een goede aantekening voor u, juffrouw Marple – en een goede aantekening voor mij vanwege mijn recept. U bent al haast weer de oude.'

Het avontuur van Johnnie Waverly

'U kunt zich de gevoelens van een moeder wel indenken,' zei mevrouw Waverly misschien wel voor de zesde maal.

Ze keek smekend naar Poirot. Mijn kleine vriend, die altijd meevoelt met een wanhopige moeder, maakte een geruststellend gebaar.

'Zeker, zeker, ik begrijp 't volkomen. Vertrouw maar op Papa Poirot.'

'De politie –' begon meneer Waverly.

Zijn vrouw brak met een handgebaar zijn onderbreking af.

'Ik wil niets meer met de politie te maken hebben. We hadden vertrouwen in hen en kijk eens wat er gebeurd is! Maar ik had zoveel gehoord van Monsieur Poirot en de wonderbaarlijke dingen die hij heeft gedaan, dat ik 't gevoel had dat hij misschien in staat zou zijn ons te helpen. De gevoelens van een moeder –'

Poirot stuitte haastig het relaas met een welsprekend gebaar. De ontroering van mevrouw Waverly was klaarblijkelijk echt, maar het paste slecht bij haar scherpe, vrij harde uiterlijk. Toen ik later hoorde dat ze de dochter was van een aanzienlijk staalfabrikant uit Birmingham, die zich in de wereld had opgewerkt van kantoorbediende tot zijn huidige hoge positie, begreep ik dat ze veel van de vaderlijke eigenschappen had geërfd.

Meneer Waverly was een grote, blozende man met een joviaal uiterlijk. Hij stond zeer wijdbeens en zag er uit als een soort landjonker.

'Ik veronderstel dat alles u bekend is van deze zaak, Monsieur Poirot?'

De vraag was bijna overbodig. De krant had al enige dagen lang vol gestaan over de sensationele ontvoering van de kleine Johnnie Waverly, de drie jaar oude zoon en erfgenaam van de weledelgeboren heer Marcus Waverly van Waverly Court, Surrey, een van de oudste families van Engeland.

'De voornaamste feiten ken ik natuurlijk, maar ik verzoek u vriendelijk me de hele geschiedenis nog eens te vertellen. En alstublieft heel uitvoerig.'

'Nu, ik geloof dat de hele zaak ongeveer tien dagen geleden begonnen is, toen ik een anonieme brief heb ontvangen – dat zijn trouwens ellendige dingen – waaruit ik niet wijs kon worden. De schrijver had de onbeschaamdheid me te vragen hem vijfentwintigduizend pond te betalen – vijfentwintigduizend pond, Monsieur Poirot! Als ik daarmee niet accoord zou gaan, dreigde hij Johnnie te zullen ontvoeren. Natuurlijk wierp ik 't ding zonder meer in de prullenmand. Dacht dat 't een flauwe grap was. Vijf dagen later kreeg ik weer een brief. "Tenzij u betaalt, zal uw zoon op de negenentwintigste worden ontvoerd." Dat was op de zevenentwintigste. Ada maakte zich bezorgd, maar ik kon er niet toe komen de zaak ernstig op te nemen. Verdraaid nog aan toe, we zijn toch in Engeland. Niemand gaat maar zo kinderen ontvoeren en er losgeld voor eisen.'

''t Is zeker geen gewone gang van zaken,' zei Poirot. 'Gaat u verder, Monsieur.'

'Nu, Ada liet me geen rust en dus – hoewel ik 't wel een beetje dwaas vond – legde ik de zaak aan Scotland Yard voor. Ze schenen de zaak niet heel ernstig op te nemen – ze waren geneigd mijn zienswijze te delen dat 't een flauwe grap was. Op de achtentwintigste kreeg ik een derde brief. "U hebt niet betaald. Uw zoon zal bij u worden weggehaald morgen de negenentwintigste om twaalf uur 's middags. Het zal u vijftigduizend pond kosten om hem terug te krijgen." Dus ging ik weer naar Scotland Yard. Ditmaal waren ze meer onder de indruk. Ze waren de mening toegedaan dat de brieven door een krankzinnige waren geschreven en dat er op het vastgestelde uur naar alle waarschijnlijkheid een of andere poging zou worden gedaan. Ze verzekerden me dat ze alle nodige maatregelen zouden nemen. Inspecteur McNeil en een behoorlijke politiemacht zouden de volgende morgen naar Waverly komen en de zaak in handen nemen.

Ik ging zeer opgelucht naar huis. Toch hadden we al een gevoel alsof we in staat van beleg verkeerden. Ik gaf bevel dat geen enkele vreemde mocht worden binnengelaten en dat niemand 't huis mocht verlaten. De avond ging voorbij zonder enig onaangenaam voorval, maar de volgende morgen was mijn vrouw ernstig ongesteld. Verontrust door haar toestand, liet ik dokter Dakers komen. Haar verschijnselen schenen hem voor een raadsel te plaatsen. Hoewel hij aarzelde te opperen dat ze vergiftigd was, kon ik toch merken dat hij dat dacht. Hij verzekerde me dat er geen gevaar bij was, maar 't zou enkele dagen duren voor ze weer op de been zou zijn. Toen ik naar mijn eigen kamer terugkeerde, vond ik tot mijn schrik en verbazing een briefje op mijn kussen geprikt. 't Was hetzelfde handschrift als van de andere en bevatte drie woorden: "Om twaalf uur."

Ik geef toe, Monsieur Poirot, dat ik moordzuchtige neigingen kreeg! Iemand in huis was hierbij betrokken – iemand van 't personeel. Ik ontbood hen allemaal en schold hun de huid vol. Ze verklapten elkaar niet; 't was juffrouw Collins, de gezelschapsdame van mijn vrouw, die me meedeelde dat ze Johnnies kinderjuffrouw die morgen vroeg de laan uit had zien glippen. Die beschuldigde ik daar dus van en ze viel door de mand. Ze had 't kind achtergelaten bij 't kindermeisje en was weggeglipt om een vriend van haar te ontmoeten – een man! Mooie boel! Ze zei dat zij 't briefje niet op mijn kussen had geprikt – misschien heeft ze de waarheid gesproken, ik weet 't niet. Ik vond dat ik niet kon riskeren dat de eigen kinderjuffrouw van 't kind in 't komplot zat. Een van de bedienden was erbij betrokken – daar was ik zeker van. Op 't laatst verloor ik mijn geduld en zegde

’t hele stel de dienst op, de kinderjuffrouw inbegrepen. Ik gaf hun een uur om hun spullen te pakken en ’t huis te verlaten.’

Het rode gezicht van meneer Waverly werd nog wel twee tinten roder, toen hij aan zijn gerechtvaardigde woede terugdacht.

‘Was dat niet een beetje onverstandig, monsieur?’ opperde Poirot. ‘Zonder het te weten had u de vijand wel in de kaart kunnen spelen.’

Meneer Waverly keek hem verbaasd aan.

‘Dat zie ik niet in. Hen allemaal wegsturen, dat was mijn oplossing. Ik telegrafeerde naar Londen om een stel andere die ze nog die avond moesten sturen. Ondertussen zouden er dan alleen mensen in huis zijn die ik kon vertrouwen, de gezelschapsdame van mijn vrouw en Tredwell, de butler, die al sinds mijn jongensjaren bij ons is geweest.’

‘En hoe lang is deze juffrouw Collins al bij u?’

‘Net een jaar,’ zei mevrouw Waverly. ‘Ze is zeer waardevol voor me geweest als secretaresse en gezelschapsdame en ze is ook een zeer kundig huishoudster.’

‘En de kinderjuffrouw?’

‘Die is een half jaar bij me geweest. Ze is met uitstekende getuigschriften bij me gekomen. Niettegenstaande dat ben ik nooit erg op haar gesteld geweest, hoewel Johnny dol op haar was.’

‘Maar als ik ’t goed begrijp, was ze dus al weg, toen de ramp plaatsvond. Misschien wilt u zo vriendelijk zijn, verder te gaan, Monsieur Waverly.’

Meneer Waverly hervatte zijn verslag.

‘Inspecteur McNeil kwam om ongeveer half elf. ’t Personeel was toen allemaal weg. Hij zei dat hij heel tevreden was met de schikkingen binnenshuis. Hij posteerde verscheidene mannen in ’t park buiten, die alle toegangen tot ’t huis moesten bewaken en hij verzekerde me, dat, tenzij de hele zaak voordegekhouderij was, we ongetwijfeld de geheimzinnige briefschrijver te pakken zouden krijgen.

Ik had Johnnie bij me en hij en ik en de inspecteur gingen samen in een kamer zitten, die we de Raadskamer noemen. De inspecteur deed de deur op slot. Er staat daar een grote staande klok en ik schaam me niet te bekennen, dat ik, toen de wijzers naar de twaalf begonnen te lopen, zo zenuwachtig was als een schichtig paard. Er kwam een snorrend geluid en de klok begon twaalf uur te slaan. Ik greep Johnnie vast. Ik had een gevoel alsof er misschien een man ergens van boven zou komen vallen. Terwijl de laatste slag wegstierf, ontstond er buiten een grote opschudding – geschreeuw en geren. De inspecteur wierp een raam open en een agent kwam aanrennen.

"We hebben hem, meneer," hijgde hij. "Hij was door de bosjes aan 't sluipen. Hij heeft een hoop verdovingsspul bij zich."

We renden 't terras op, waar twee agenten een kerel vasthielden met een gemeen gezicht, armoedig gekleed, die stond te draaien en te kronkelen in een vergeefse poging om te ontsnappen. Een van de agenten reikte een opengemaakt pakje aan, dat ze hun gevangene hadden afgenomen. 't Bevatte een dot watten en een flesje chloroform. Mijn bloed kookte toen ik 't zag. Er was ook een briefje bij, aan mij geadresseerd. Ik scheurde 't open. Er stonden de volgende woorden op: "U had moeten betalen. Nu zal het u vijftigduizend pond kosten om uw zoon vrij te krijgen. Ondanks al uw voorzorgsmaatregelen is hij om twaalf uur op de negenentwintigste ontvoerd, zoals ik heb gezegd."

Ik lachte hardop, een lach van verlichting, maar terwijl ik dit deed, hoorde ik 't gezoem van een motor en een kreet. Ik draaide mijn hoofd om. Een lage lange grijze auto reed met een krankzinnige vaart de laan af in de richting van de zuidelijke uitgang. De man die de wagen reed, had geschreeuwd, maar dat was niet de reden waarom ik zo ontzettend schrok. Dat was 't gezicht van de blonde krullen van Johnnie. 't Kind zat naast hem in de wagen.

De inspecteur vloekte.

"'t Kind was nog geen minuut geleden hier," schreeuwde hij. Zijn ogen gingen over ons heen. We stonden er allemaal, ikzelf, Tredwell en juffrouw Collins. "Wanneer hebt u hem 't laatst gezien, meneer Waverly?"

Ik probeerde 't mij voor de geest te halen. Toen de agent ons had geroepen, was ik met de inspecteur naar buiten gehold, Johnnie helemaal vergetend.

En toen hoorden we een geluid dat ons deed schrikken, 't luiden van de kerkklok in 't dorp. 't Was precies twaalf uur. We renden als één man naar de Raadskamer, de klok daar stond op tien minuten over twaalf. Iemand moest er met opzet mee hebben geknoeid, want zolang ik weet heeft hij nooit tevoren voor- of achtergelopen. Hij loopt altijd heel precies.'

Meneer Waverly wachtte even. Poirot glimlachte bij zichzelf en legde een matje recht, dat de ongeruste vader scheef had getrokken.

'Een aardig probleempje, ingewikkeld en gezellig om op te lossen,' prevelde Poirot. 'Ik zal 't met genoegen voor u onderzoeken? 't Was werkelijk in elkaar gezet *à merveille.*'

Mevrouw Waverly keek hem verwijtend aan.

'Maar mijn jongen,' jammerde ze.

Poirot hield zich haastig in bedwang en zag er weer uit als een toonbeeld van ernstig medeleven.

'Hij is veilig, Madame, hij is ongedeerd. U kunt gerust zijn, deze onverlaten zullen uitstekend voor hem zorgen. Is hij niet de kalkoen – nee, de kip – die voor hen de gouden eieren legt?'

'Monsieur Poirot, ik weet zeker dat er maar één ding kan gebeuren – betalen. Ik was er eerst vierkant tegen – maar nu! De gevoelens van een moeder –'

'Maar we zijn Monsieur bij zijn verhaal in de rede gevallen,' riep Poirot haastig.

'Ik denk dat u de rest al wel uit de kranten weet,' zei meneer Waverly. 'Natuurlijk ging inspecteur McNeil dadelijk telefoneren. Een beschrijving van de auto en de man werd overal verspreid en eerst leek 't of alles nog goed zou aflopen. Een auto die aan de beschrijving beantwoordde, met een man en een kleine jongen erin, was door verscheidene dorpen gereden, klaarblijkelijk op weg naar Londen. Op één plaats hadden ze gestopt en men had gezien dat 't kind huilde en blijkbaar bang was voor zijn metgezel. Toen inspecteur McNeil aankondigde dat de auto was aangehouden en de man en de jongen vastgehouden, was ik bijna ziek van opluchting. U weet hoe 't afliep. De jongen was Johnnie niet en de man was een fanatiek automobilist, dol op kinderen, die een klein kind had opgepikt, dat zat te spelen in de straten van Edenswell, een dorpje op ongeveer vijfentwintig kilometer van hier, en daar nu gezellig mee rondreed. Dank zij de uitgesproken stommiteit van de politie waren alle sporen verdwenen. Als ze niet hardnekkig de verkeerde auto hadden gevolgd, zouden ze de jongen nu misschien gevonden hebben.'

'Kalmaan een beetje, Monsieur. De politie is een groep van dappere en bekwame mensen. 't Was een heel voor de hand liggende fout van hen. En de hele zaak was handig opgezet. Wat de man betreft die ze op 't terrein te pakken hebben gekregen, meen ik te begrijpen dat hij zich heeft verdedigd door steeds hardnekkig te ontkennen. Hij verklaart dat 't briefje en 't pakje hem waren gegeven om op Waverly Court te bezorgen. De man die 't hem had gegeven, had hem twee rijksdaalders betaald en hem er nog twee beloofd, als 't precies om tien minuten voor twaalf werd afgeleverd. Hij moest over 't terrein naar 't huis lopen en aan de zijdeur kloppen.'

'Ik geloof er geen woord van,' verklaarde mevrouw Waverly heftig. 'Dat is van begin tot eind gelogen.'

'*En vérité,* 't is wel een goedkoop verhaaltje,' zei Poirot nadenkend. 'Maar tot nu toe hebben ze er niet aan kunnen tornen. Ik meen te weten dat hij ook een bepaalde beschuldiging heeft geuit?'

Hij keek meneer Waverly vragend aan. Deze laatste werd weer erg rood.

'De kerel had de onbeschaamdheid te beweren dat hij in Tredwell de man herkende die hem 't pakje had gegeven. "Alleen heeft de vent zijn snor afgeschoren." Tredwell, die op het landgoed is geboren!'

Poirot glimlachte even om de verontwaardiging van de landjonker.

'En toch verdenkt u zelf een huisgenoot van medeplichtigheid aan de ontvoering.'

'Ja, maar Tredwell niet.'

'En u, Madame?' vroeg Poirot, zich plotseling tot haar wendend.

'Degeen die deze zwerver de brief en 't pakje gaf, kan Tredwell niet zijn geweest – als 't al iemand is geweest, wat ik niet geloof. Hij zegt dat 't hem om tien uur werd gegeven. Om tien uur was Tredwell met mijn man in de rooksalon.'

'Was u in staat 't gezicht van de man in de auto te zien, Monsieur? Leek 't in enig opzicht op dat van Tredwell?'

''t Was te ver van me weg om 't gezicht te kunnen zien.'

'Weet u of Tredwell een broer heeft?'

'Hij heeft er verscheidene gehad, maar die zijn allemaal dood. De laatst overgeblevene werd in de oorlog gedood.'

'Ik heb nog niet 't juiste beeld van de situatie van 't park van Waverly Court. De auto reed in de richting van de zuidelijke uitgang. Is er nog een toegang?'

'Ja, wat we de oostelijke ingang noemen. Je kunt hem vanuit de andere kant van 't huis zien.'

' 't Lijkt me vreemd dat niemand de auto 't park zag binnenrijden.'

'Er bestaat een recht van erfdoorgang en toegang tot een kleine kapel. Er rijden vrij veel auto's door. De man moet de auto op een geschikte plaats hebben neergezet en naar 't huis toe zijn gelopen, net toen de opschudding begon en de aandacht op iets anders was gevestigd.'

'Tenzij hij al in 't huis was,' peinsde Poirot. 'Is er een of andere plaats waar hij zich zou hebben kunnen verbergen?'

'Ja, we hebben echt niet van tevoren 't hele huis doorzocht. Dat leek niet nodig. Ik denk wel dat hij zich misschien ergens had kunnen verbergen, maar wie zou hem hebben binnengelaten?'

'Daar zullen we 't later over hebben. Eén ding tegelijk – laten we methodisch te werk gaan. Is er geen speciale schuilplaats in 't huis? Waverly Court is een oud huis en soms zijn daar weleens "priesterschuilplaatsen", zoals ze die noemen.'

'Waarachtig, er *is* een priesterschuilplaats. Je komt er door een van de panelen in de hal in.'

'In de buurt van de Raadskamer?'

'Vlak naast de deur.'

'Voilà!'

'Maar niemand dan mijn vrouw en ik weet van 't bestaan daarvan.'

'En Tredwell?'

'Tja – hij heeft er misschien wel van gehoord.'

'En juffrouw Collins?'

'Ik heb 't haar nooit verteld.'

Poirot dacht even na.

'Nu, Monsieur, ik moet nu allereerst naar Waverly Court komen. Schikt 't u, als ik vanmiddag kom?'

'O, zo gauw mogelijk, alstublieft, meneer Poirot,' riep mevrouw Waverly uit. 'Leest u dit nog eens.'

Ze duwde hem de laatste boodschap van de vijand in handen, die de Waverly's die morgen had bereikt en die haar zo in allerijl naar Poirot had doen gaan. Hij bevatte handige en nauwkeurige aanwijzingen voor het betalen van het geld en eindigde met de bedreiging dat de jongen het met zijn leven zou bekopen, als enig verraad werd gepleegd. Het was duidelijk dat de liefde voor geld om de overhand streed met de wezenlijke moederliefde van mevrouw Waverly, en dat de laatste uiteindelijk zou overwinnen.

Poirot liet mevrouw Waverly nog even langer blijven dan haar man.

'Madame, de waarheid alstublieft. Deelt u 't vertrouwen van uw man in de butler Tredwell?'

'Ik heb niets tegen hem, meneer Poirot, ik zie niet in hoe hij hierbij betrokken kan zijn, maar – wel, ik heb hem nooit kunnen uitstaan – nooit!'

'Nog iets, Madame, kunt u me 't adres van de kinderjuffrouw van 't kind geven?'

'Netherall Road 149, Hammersmith. U veronderstelt toch niet –'

'Ik veronderstel nooit. Maar – ik gebruik de kleine grijze cellen. En een enkele maal, een heel enkele maal, heb ik een ideetje.'

Toen de deur dichtviel, kwam Poirot weer naar mij toe.

'Dus Madame heeft de butler nooit kunnen uitstaan. Dàt is interessant, niet, Hastings?'

Ik weigerde me uit mijn tent te laten lokken. Poirot heeft me zo dikwijls voor de gek gehouden dat ik nu op mijn hoede ben. Er steekt altijd wat achter.

Nadat we ons keurig netjes hadden aangekleed, begaven we ons naar de Netherall Road. We waren zo gelukkig juffrouw Jessie Withers thuis te treffen. Ze was een jonge vrouw van vijfendertig, met een prettig gezicht, flink en beschaafd. Ik kon niet geloven dat ze bij de zaak betrokken kon zijn. Ze was erg gebelgd over de manier waarop ze was weggestuurd, maar gaf toe dat ze verkeerd had gehandeld. Ze was verloofd met een schilder-decorateur, die toevallig in de buurt werkte en ze was even weggehold om hem te ontmoeten. Dit feit leek vrij gewoon. Ik begreep Poirot niet helemaal. Al die vragen leken me weinig ter zake dienende. Ze hadden voornamelijk betrekking op de dagelijkse gang van zaken op Waverly Court. Eerlijk gezegd verveelde ik me en was blij toen Poirot wegging.

'Ontvoeren is een gemakkelijk werkje, *mon ami*,' merkte hij op, nadat hij een taxi had gewenkt op de Hammersmith Road en opdracht gegeven had naar Waterloo te rijden. 'Dat kind had de afgelopen drie jaren op elke willekeurige dag met 't grootste gemak ontvoerd kunnen worden.'

'Ik zie niet in dat ons dat veel verder brengt,' merkte ik koeltjes op.

'*Au contraire,* 't brengt ons heel veel verder, maar dan ook heel veel! Als je beslist een dasspeld wilt dragen, Hastings, laat 't dan tenminste precies in 't midden van je das zijn. Op 't ogenblik zit hij minstens anderhalve millimeter te veel naar rechts.'

Waverly Court was een prachtig oud huis en pas geleden met zorg en smaak gerestaureerd. Meneer Waverly liet ons de raadskamer zien, het terras en alle verschillende plekjes die met de zaak verband hielden. Tenslotte drukte hij op Poirots verzoek op een veer in de muur, een paneel schoof opzij en een korte gang voerde ons naar de 'priesterschuilplaats'.

'U ziet wel,' zei Waverly, 'dat hier niets is.'

De kleine kamer was helemaal leeg, er was zelfs geen voetafdruk op de vloer. Ik voegde me bij Poirot, die zich vol aandacht over een afdruk in de hoek boog.

'Wat maak je hieruit op, mijn vriend?'

Er stonden vier afdrukken vlak bij elkaar.

'Een hond,' riep ik uit.

'Een heel klein hondje, Hastings.'

'Een maltezertje.'

'Kleiner dan een maltezertje.'

'Een dwergpincher?' opperde ik weifelend.

'Zelfs nog kleiner dan een dwergpincher. Dit soort is niet bekend bij de kynologenclub.'

Ik keek hem aan. Zijn gezicht was opgeklaard en vol opwinding en voldoening.

'Ik had gelijk,' mompelde hij. 'Ik wist dat ik gelijk had. Kom mee, Hastings.'

Toen we naar buiten in de hal stapten en het paneel zich achter ons sloot, kwam een jonge vrouw uit een deur verderop in de gang. Meneer Waverly stelde haar voor.

'Juffrouw Collins.'

Juffrouw Collins was ongeveer dertig jaar oud, kwiek en bedrijvig in haar manier van doen. Ze had blond, nogal slap haar en droeg een lorgnet.

Op Poirots verzoek gingen we een kleine huiskamer in en hij ondervroeg haar uitvoerig over de meisjes en in het bijzonder over Tredwell. Ze gaf toe dat ze de butler niet mocht.

'Hij is zo verwaand,' legde ze uit.

Toen gingen ze verder in op de kwestie wat mevrouw Waverly had gegeten op de avond van de achtentwintigste. Juffrouw Collins verklaarde dat ze van dezelfde schotels had gegeten boven in haar zitkamer en nergens last van had gehad. Toen ze op het punt stond weg te gaan, stootte ik Poirot zachtjes aan.

'De hond,' fluisterde ik.

'O juist, de hond!' Hij glimlachte breeduit. 'Wordt hier soms een hond gehouden, Mademoiselle?'

'Er zijn twee jachthonden in de hokken buiten.'

'Nee, ik bedoel een klein hondje, een speelgoedhondje.'

'Nee – niets van dien aard.'

Poirot liet haar gaan. Toen merkte hij tegen me op, terwijl hij op de bel drukte:

'Ze liegt, die juffrouw Collins. Misschien zou ik 't ook doen in haar plaats. Nu gaan we met de butler beginnen.'

Tredwell was een deftig persoon. Hij vertelde zijn verhaal met volmaakte zelfverzekerdheid, en het was in hoofdzaak hetzelfde als van meneer Waverly. Hij gaf toe dat hij het geheim van de 'priesterschuilplaats' kende.

Toen hij tenslotte verdween, tot het laatst toe plechtig, ontmoette ik Poirots spottende blik.

'Wat maak jij er allemaal uit op, Hastings?'

'Wat jij?' pareerde ik.

'Wat word je voorzichtig. Nooit, nooit zullen de grijze cellen functioneren, als je ze niet stimuleert. O, maar ik wil je niet plagen! Laten we samen onze gevolgtrekkingen maken. Welke punten vallen ons speciaal op als ingewikkeld?'

'Er is één ding dat me is opgevallen,' zei ik. 'Waarom ging de man die 't kind heeft ontvoerd weg door de zuidelijke uitgang in plaats van door de oostelijke, waar niemand hem kon zien?'

'Dat is een heel goed punt, Hastings, buitengewoon goed. Ik zal 't aanvullen met een ander. Waarom zijn de Waverly's van tevoren gewaarschuwd? Waarom heeft men niet eenvoudig 't kind ontvoerd en losgeld laten betalen?'

'Omdat ze 't geld hoopten te krijgen zonder tot handelen te worden gedwongen.'

''t Was toch zeker erg onwaarschijnlijk dat 't geld alleen naar aanleiding van een bedreiging zou worden betaald?'

'Ze wilden ook de aandacht vestigen op de tijd: twaalf uur, zodat, als de landloper werd gegrepen, de andere man uit zijn schuilplaats te voorschijn kon komen en onopgemerkt met 't kind kon verdwijnen.'

'Dat doet niets af aan 't feit dat ze iets moeilijk maakten dat heel gemakkelijk was. Als ze geen tijd of datum vaststelden, was niets gemakkelijker dan hun kans af te wachten en 't kind op een dag mee te nemen in een auto, als hij met zijn juffrouw uit was.'

'Ja-a,' gaf ik weifelend toe.

'In feite werd er opzettelijk een klucht opgevoerd! Laten we nu de zaak eens van een andere kant benaderen. Alles wijst erop dat er een medeplichtige binnenshuis is geweest. Punt No. 1: de geheimzinnige vergiftiging van mevrouw Waverly. Punt No. 2: 't briefje dat op 't kussen zat geprikt. Punt No. 3: 't tien minuten voor zetten van de klok – allemaal werkjes binnenshuis. En dan komt er nog een kwestie bij die je misschien niet hebt opgemerkt. Er lag geen stof in de "priesterschuilplaats". 't Was er met een bezem uitgeveegd. Nu dan, we hebben vier mensen in 't huis. (We kunnen de kinderjuffrouw uitschakelen, aangezien ze de "priesterschuilplaats" niet kan hebben uitgeveegd, ofschoon ze wel zou passen bij de andere drie punten.) Vier mensen: meneer en mevrouw Waverly, Tredwell, de butler, en juffrouw Collins. We zullen eerst juffrouw Collins nemen. We hebben niet veel tegen haar aan te voeren, behalve dat we erg weinig van haar afweten, dat ze klaarblijkelijk een intelligente jonge vrouw is en dat ze hier nog maar een jaar is.'

'Je zei dat ze loog over 't hondje,' herinnerde ik hem.

'O ja, 't hondje.' Poirot glimlachte op een eigenaardige manier. 'Laten we nou eens op Tredwell overgaan. Er zijn verscheidene verdachte feiten tegen hem aan te voeren. Om te beginnen, de landloper verklaart dat Tredwell hem 't pakje heeft gegeven in 't dorp.'

'Maar Tredwell heeft een alibi op dat punt.'

'Zelfs dan kan hij mevrouw Waverly nog hebben vergiftigd, 't briefje op 't kussen hebben gestoken, de klok voor hebben gezet en de "priesterschuilplaats" hebben uitgeveegd. Aan de andere kant is hij geboren en getogen in dienst van de Waverly's. 't Lijkt wel uiterst onwaarschijnlijk dat hij de ontvoering van de zoon des huizes zou toelaten. Dat past er ook niet bij!'

'Wat dan?'

'We moeten op logische wijze verder redeneren – hoe ongerijmd 't ook mag lijken. We zullen een korte beschouwing wijden aan mevrouw Waverly. Maar zij is rijk, 't geld is van haar. Van haar geld is dit vervallen landgoed gerestaureerd. Er zou voor haar geen enkele reden zijn haar zoon te ontvoeren en haar geld weer aan zichzelf terug te betalen. Haar man nu verkeert in een andere positie. Hij heeft een rijke vrouw. Dat is niet hetzelfde als zelf rijk zijn – ik heb trouwens een flauw idee dat de dame niet graag van haar geld wil scheiden, tenzij om een heel goede reden. Maar meneer Waverly, dat kun je dadelijk zien, is een *bon viveur*.'

'Onmogelijk,' sputterde ik.

'Helemaal niet. Wie heeft 't personeel weggestuurd? Meneer Waverly. Hij kan de briefjes schrijven, zijn vrouw vergiftigen, de wijzers van de klok vooruit zetten en een prachtig alibi verzinnen voor zijn trouwe bediende Tredwell. Tredwell heeft mevrouw Waverly nooit gemogen. Hij is erg op zijn meester gesteld en bereid zijn bevelen onvoorwaardelijk uit te voeren. Er waren drie personen bij betrokken. Waverly, Tredwell en de een of andere vriend van Waverly. Dat is de fout die de politie heeft gemaakt, ze hebben geen verdere navraag gedaan naar de man die in de grijze auto reed met 't verkeerde kind erin. Hij is de derde man geweest. Hij pikte een kind op in een dorp in de buurt, een jongen met blonde krullen. Hij rijdt de oostelijke ingang in en de zuidelijke weer uit, net op 't juiste ogenblik, wuivend met zijn hand en schreeuwend. Ze kunnen zijn gezicht niet zien noch 't nummer van de auto, dus kunnen ze waarschijnlijk 't gezicht van 't kind ook niet zien. Dan legt hij een vals spoor naar Londen. Ondertussen heeft Tredwell zijn aandeel vervuld door te arrangeren dat 't pakje en de brief door een man met een gemeen gezicht worden bezorgd. Zijn meester kan hem een alibi verschaffen voor 't onwaarschijnlijke geval dat de man hem herkent, ondanks de valse snor die hij droeg. Wat meneer Waverly betreft, zo gauw 't rumoer buiten ontstaat en de inspecteur daarheen snelt, verbergt hij gauw 't kind in de "priesterschuilplaats" en volgt de inspecteur naar buiten. Later op de dag, als de inspecteur vertrokken is en juffrouw Collins uit de weg, is 't heel gemakkelijk voor hem 't kind in zijn eigen auto naar een of ander veilig plaatsje te brengen.'

'Maar hoe zit 't met 't hondje?' vroeg ik. 'En 't feit dat juffrouw Collins loog?'

'Dat was maar een grapje van mij. Ik vroeg haar of er ergens in huis speelgoedhondjes waren en ze zei nee – maar ongetwijfeld zijn er wel een paar –

in de kinderkamer! Zie je, meneer Waverly zette een paar stukjes speelgoed in de "priesterschuilplaats" om Johnnie te vermaken en rustig te houden.'

'Monsieur Poirot.' Meneer Waverly kwam de kamer binnen. 'Hebt u iets ontdekt? Hebt u enige aanwijzing waar de jongen is heengebracht?'

Poirot overhandigde hem een stukje papier.

'Hier is 't adres.'

'Maar dit is een blanco velletje.'

'Omdat ik op u zit te wachten om 't voor me op te schrijven.'

'Wel alle –' Meneer Waverly's gezicht werd paarsrood.

'Ik weet alles, Monsieur. Ik geef u vierentwintig uur om de jongen terug te brengen. U zult nu uw vindingrijkheid moeten aanwenden om zijn terugkomst te verklaren. Anders zal mevrouw Waverly op de hoogte worden gesteld van de juiste loop der gebeurtenissen.'

Meneer Waverly zonk op een stoel neer en begroef zijn gezicht in zijn handen.

'Hij is bij mijn oude kinderjuffrouw, op ongeveer vijftien kilometer afstand. Hij is gelukkig en wordt goed verzorgd.'

'Daar twijfel ik niet aan. Als ik niet geloofde dat u in uw hart een goed vader bent, zou ik er niet voor voelen u nog een kans te geven.'

'De schande –'

'Precies. U draagt een oude en geëerde naam. Breng hem niet weer in gevaar. Goedenavond, meneer Waverly. O, tussen haakjes, nog een goede raad. Veeg ook altijd goed in de hoekjes!'

Een vruchtbare zondag

'Het is gewoon reusachtig,' zei juffrouw Dorothy Pratt voor de vierde maal. ''k Wou dat die ouwe kat me nou eens kon zien. Zij met haar "Jane".'

De 'ouwe kat', zoals ze vinnig door juffrouw Pratt genoemd werd, was haar zeer achtbare werkgeefster, mevrouw Mackenzie Jones, die zeer besliste opvattingen had omtrent gepaste namen voor dienstmeisjes en die daarom Dorothy's voornaam had verworpen en vervangen door juffrouw Pratts verafschuwde tweede naam: Jane.

Juffrouw Pratts metgezel gaf niet direct antwoord en dat wel om zeer begrijpelijke redenen. Als je je pas een vierdehands Baby-Austin hebt aangeschaft voor de somma van twintig pond, en als je er voor de tweede keer mee rijdt heb je al je aandacht nodig voor de moeilijke taak beide handen en voeten op het daarvoor vereiste moment te gebruiken.

'Ai!' riep meneer Edward Palgrove, een botsing vermijdend door te stoppen met een afgrijselijk knarsend geluid, dat een goed automobilist door merg en been zou gaan.

'Jij zegt ook niet veel tegen een meisje,' klaagde Dorothy.

Het antwoord werd Palgrove bespaard doordat hij duchtig werd uitgevloekt door de chauffeur van een autobus.

'Wat een brutaliteit,' zei juffrouw Pratt hoofdschuddend.

'Ik wou dat *hij* deze voetrem had,' zei haar aanbidder bitter.

'Mankeert er iets aan?'

'Je kunt er gewoon op gaan staan en dan gebeurt er nog niets,' zei Palgrove.

'Nou ja, Ted, maar je kunt voor twintig pond niet alles verwachten. We zitten toch maar lekker in een auto op zondagmiddag en rijden, net als iedereen, de stad uit.'

Méér knarsende en snerpende geluiden!

'Dat was een betere schakeling,' zei Ted, rood van triomf.

'Je rijdt gewoon schitterend,' zei Dorothy bewonderend.

Moed vattend door deze vrouwelijke hulde probeerde meneer Palgrove Hammersmith Broadway over te steken en werd streng vermaand door een agent.

'Verbeeld je,' zei Dorothy, toen ze eindelijk in een matig gangetje verder reden. 'Ik snap niet wat die politielui bezielt. Je zou zo denken dat ze wel een toontje lager zouden zingen nadat ze laatst zo op hun kop hebben gehad.'

'En ik wou helemaal niet deze kant uit,' zei Edward benepen. 'Ik wou de Great West Road oprijden en er daar eens even een vaartje inzetten.'

'En bekeurd worden,' zei Dorothy. 'Dat is mijn meneer laatst overkomen: vijf pond boete èn de kosten.'

'De politie is nog zo kwaad niet,' zei Edward grootmoedig. 'Ze pikken de rijken net zo goed als de anderen. Ze maken geen onderscheid. Het maakt me woest als ik denk aan de lui die zomaar een zaak kunnen binnenlopen en een paar Rolls Royces kopen zonder een spier te vertrekken. Dat is niet rechtvaardig. Ik ben even goed als zij.'

'En denk eens aan de juwelen,' zuchtte Dorothy. 'Die winkels in Bond Street. Diamanten en parels en weet ik wat nog meer. En ik met mijn snoertje warenhuis-parels.'

Ze peinsde somber over die onrechtvaardigheid na. Edward kon weer eens zijn volle aandacht aan zijn stuur besteden. Ze slaagden erin zonder ongelukken door Richmond heen te komen. Het dispuut met de agent had Edward zenuwachtig gemaakt. Hij koos nu de weg van de minste weerstand en volgde op goed geluk elke wagen vóór hem, zodra de keus tussen twee wegen zich voordeed.

Op die manier bevonden ze zich tenslotte op een schaduwrijke landweg, die menige automobilist wàt graag had willen ontdekken.

'Goeie bocht heb ik daar gemaakt, hè?' zei Edward zelfvoldaan.

'Prima,' vond juffrouw Pratt. 'Kijk, daar staat een man met fruit.'

Inderdaad stond op een hoek een kleine rieten tafel met mandjes fruit erop en een spandoek erachter met de woorden: *eet meer fruit*.

'Hoeveel kosten ze?' vroeg Edward bezorgd, toen een woest rukken aan de handrem het verlangde resultaat had opgeleverd.

'Mooie aardbeien,' zei de man bij de tafel.

Het was een onguur individu met een grijns op zijn gezicht.

'Net iets voor de dame. Rijp fruit, pas geplukt. Kersen heb ik ook. Echte Engelse. Een mandje kersen, dame?'

'Ze zien er lekker uit,' zei Dorothy.

'Héérlijk zijn ze,' zei de man hees. 'Dat mandje zal u geluk brengen, dame.'

Eindelijk verwaardigde de man zich Edward te antwoorden. 'Twee shilling, meneer, spotgoedkoop. Dat zou u zeker ook zeggen als u wist wat er in dat mandje zat.'

'Ze zien er *erg* lekker uit,' zei Dorothy.

Edward betaalde zuchtend twee shilling. Hij was druk aan 't rekenen. Straks ergens thee drinken, benzine – zo'n zondags ritje was nou niet bepaald wat je noemt goedkoop. Dat was de ellende als je een meisje mee uit nam. Ze wilden altijd alles hebben wat ze zagen.

Edward drukte zijn voet hard op het gaspedaal en de Baby Austin sprong als een nijdige hond op de kersenverkoper af.

'Sorry,' zei Edward, 'ik vergat dat hij in de versnelling stond.'

'Je moet voorzichtiger zijn, schat,' zei Dorothy, 'je had hem pijn kunnen doen.'

Edward antwoordde niet. Zowat een kilometer verder kwamen ze aan een ideaal plekje bij een riviertje. De Austin werd aan de kant van de weg achtergelaten en Edward en Dorothy gingen gezellig aan de oever zitten kersen eten. Op de grond lag een vergeten zondagsblad.

'Staat er wat nieuws in?' vroeg Edward eindelijk, zich languit op zijn rug uitstrekkend met zijn hoed over zijn ogen tegen de zon.

Dorothy las de kopregels voor.

'Rampzalige vrouw. Achtentwintig mensen verdronken. Luchtvaarder vermist. Enorme juwelendiefstal. Robijnen collier ter waarde van vijftigduizend pond gestolen! O, Ted! Verbeeld je! Vijftigduizend pond!' Ze las verder: 'Het collier, bestaande uit eenentwintig in platina gezette stenen werd aangetekend uit Parijs verzonden. Bij aankomst bleek het pakket slechts enkele kiezelstenen te bevatten, de juwelen ontbraken.'

'Bij de post gegapt natuurlijk,' zei Edward. 'Het moet in Frankrijk bij de post een zootje zijn.'

'Ik zou zo'n ketting weleens willen zien,' zei Dorothy. 'Alle stenen fonkelen als bloed – duivebloed noemen ze die kleur. Wat zou het voor gevoel zijn als je zo'n ketting om je hals had?'

'Dat zul *jij* nooit weten,' zei Edward schertsend.

Dorothy gooide haar hoofd in de nek.

'Ik zou niet weten waarom niet. Je staat ervan te kijken zoals meisjes soms in de wereld vooruitkomen. Ik zou best aan 't toneel kunnen gaan.'

'Meisjes die zich fatsoenlijk gedragen komen niet ver,' zei Edward ontmoedigend.

Dorothy wilde iets antwoorden, maar hield zich in en zei alleen: 'Geef me de kersen eens aan.'

'Ik heb er meer gegeten dan jij,' vervolgde ze. 'Ik zal de rest tussen ons verdelen. Hè – wat zit daar onder in de mand?'

Ze haalde er een lange, schitterende ketting van bloedrode stenen uit. Ze staarden er beiden verbluft naar.

'Lag die in de mand?' vroeg Edward eindelijk.

Dorothy knikte.

'Ja, helemaal onderin, onder de kersen.'

Ze keken elkaar weer aan.

'Hoe zou die daarin gekomen zijn?'

'Weet ik het! Gek hè, Ted, net nadat we dat stukje in de krant hebben gelezen over die robijnen.'

Edward lachte.

'Je denkt toch niet dat je vijftigduizend pond in je hand houdt?'

'Ik zei alleen maar dat het gek is. Robijnen in platina gezet. Platina is van dat zilverachtige goedje, net als dit. Schitteren ze niet en is de kleur niet fantastisch? Hoeveel zouden het er zijn?' Ze telde ze. 'Zeg Ted, het zijn er precies eenentwintig.'

'Nee –!'

'Ja. Hetzelfde aantal als in de krant staat. O, Ted, je denkt toch niet –'

'Dat kan niet.' Maar hij zei het aarzelend. 'Er is een manier om erachter te komen of edelstenen echt zijn, je moet ermee op glas krassen.'

'Nee, dat is voor diamanten. Maar Ted, die man met de kersen zag er wel raar uit, hè, zo gemeen. En hij maakte er een grapje over – zei dat we in dit mandje veel meer hadden dan die kersen waard waren.'

'Maar hoor nou eens, Dorothy, waarom zou hij ons vijftigduizend pond cadeau doen?'

Dorothy schudde teleurgesteld het hoofd.

'Dat lijkt onzinnig,' gaf ze toe. 'Tenzij de politie hem achterna zit.'

'De politie?' Edward verbleekte een beetje.

'Ja. Verderop in de krant staat dat de politie een spoor volgt.'

Er liep een koude rilling langs Edwards ruggegraat.

''t Bevalt me niets, Dorothy. Als de politie eens achter *ons* aan ging zitten.'

Dorothy staarde hem met open mond aan.

'Maar we hebben toch niets gedaan, Ted. We hebben de stenen in de mand gevonden.'

'Een mal verhaal om ze dat te vertellen. Het klinkt erg onwaarschijnlijk.'

'Ja, dat is zo. O, Ted, denk je heus dat het *die* ketting is? Het is net een sprookje.'

'Ik vind helemaal niet dat het als een sprookje klinkt,' zei Edward. 'Het klinkt meer als het soort verhaal waarin een man die onschuldig was veertien jaar naar Dartmoor ging.'

Dorothy luisterde niet. Ze had de ketting om haar hals vastgemaakt en bekeek zich in een spiegeltje dat ze uit haar tasje had gehaald.

'Een hertogin zou er net zo een kunnen dragen,' fluisterde ze extatisch.

'Ik geloof het niet,' zei Edward heftig. 'Het is imitatie. Het *moet* namaak zijn.'

'Ja, lieverd,' zei Dorothy, zonder een oog van het spiegeltje af te houden. 'Heel waarschijnlijk.'

'Anders zou het een te groot toeval zijn.'

'Duivebloed,' mompelde Dorothy.

'Het is nonsens. Dat zeg ik. Gewoon nonsens. Dorothy, luister je naar wat ik zeg of niet?'

Dorothy stopte het spiegeltje weer weg. Ze wendde zich naar hem toe, met één hand nog op de robijnen om haar hals.

'Hoe zie ik ermee uit?'

Edward staarde haar aan, zijn ergernis was vergeten. Hij had Dorothy nog nooit zo gezien. Ze had iets triomfantelijks, een zekere vorstelijke schoonheid, die volkomen nieuw was. Het besef alleen dat ze juwelen ter waarde van vijftigduizend pond droeg had van Dorothy Pratt een andere vrouw gemaakt. Ze leek hooghartig, sereen, ze leek een soort combinatie van Cleopatra en Semiramis.

'Je ziet er – overweldigend uit,' zei Edward nederig.

Dorothy lachte en ook haar lach klonk anders.

'Hoor eens, we moeten iets doen. We moeten ze naar een politiebureau brengen,' zei Edward.

'Onzin,' zei Dorothy. 'Je zei daareven zelf dat ze je niet zouden geloven. Ze zullen je waarschijnlijk naar de gevangenis sturen omdat ze denken dat je ze gestolen hebt.'

'Maar wat kunnen we anders doen?'

'Ze houden,' zei de nieuwe Dorothy Pratt.

Edward staarde haar ontsteld aan.

'Houden? Je bent gek.'

'We hebben ze gevonden, waar of niet? Waarom zouden we denken dat ze kostbaar zijn? We zullen ze houden en ik zal ze dragen.'

'Dan zal de politie *jou* inpikken.'

Daar dacht Dorothy even over na.

'Goed,' zei ze, 'dan zullen we ze verkopen. En dan kun jij een Rolls Royce kopen, of twee, en ik zal zo'n diamanten hoofdding kopen en een paar ringen.'

Edward gaapte haar nog steeds aan. Dorothy werd ongeduldig.

'Je hebt nu je kans – het is aan jou die te grijpen. We hebben het ding niet gestolen – dan zou ik het niet eens willen hebben. We hebben het toevallig gekregen en het is waarschijnlijk de enige kans die we ooit zullen krijgen om alles te kopen wat we hebben willen. Heb je dan helemaal geen fut in je lijf, Edward Palgrove?'

Edward kon weer praten.

'Verkopen, zeg je? Dat zou niet gemakkelijk zijn. Elke juwelier zou willen weten hoe we aan dat lamme ding gekomen zijn.'

'Je moet het ook niet naar een juwelier brengen.

Lees je nooit detectiveverhalen, Ted? Je moet er natuurlijk mee naar een heler gaan.'

'En wat weet ik van die lui af, van helers? Ik ben fatsoenlijk grootgebracht.'

'Mannen behoren alles te weten,' zei Dorothy. 'Daar zijn ze voor.'

Hij keek haar aan. Ze was uit de hoogte en onvermurwbaar.

'Ik zou het nooit van je gedacht hebben,' zei hij toonloos.

'Ik dacht dat je meer durf had.'

Er volgde een korte stilte. Toen stond Dorothy op.

'Nou,' zei ze luchtig, 'dan zullen we maar naar huis gaan.'

'Met dat ding om je hals?'

Dorothy maakte het collier los, keek er eerbiedig naar en liet het in haar tasje glijden.

'Hoor eens even,' zei Edward, 'je geeft dat ding aan mij.'

'Nee.'

'Ja. Ik ben een eerlijk mens, meisje.'

'Je kunt eerlijk blijven. Je hoeft er niets mee te maken te hebben.'

'Geef hier,' zei Edward opeens roekeloos. 'Ik zal het doen. Ik zal wel een heler vinden. Zoals je zegt, het is de enige kans die we ooit zullen krijgen. We zijn er tenslotte eerlijk aan gekomen, we hebben het gekocht voor twee shilling. Het is niets anders dan wat heren in antiquiteitenwinkels elke dag doen en die zijn er nog trots op ook.'

'Precies,' zei Dorothy. 'O, Edward, je bent geweldig!'

Ze overhandigde hem het collier en hij stak het in zijn zak. Hij voelde zich opgewonden, een kei van een kerel. In die stemming startte hij de Austin. Ze waren allebei te opgewonden om aan theedrinken te denken. Ze reden zwijgend terug naar Londen. Eén keer kwam een agent bij een kruispunt naar de wagen toe en

Edwards hart stond bijna stil. Als door een wonder kwamen ze heelhuids thuis.

Edwards laatste woorden tegen Dorothy waren bezield met de geest van avontuur.

'We zetten dit door. Vijftigduizend pond! Het is het waard!'

Die nacht droomde hij van Dartmoor en gevangeniskleren; hij stond vroeg op, vermoeid en uitgeput. Hij moest een heler gaan zoeken en hij had er geen flauw idee van hoe hij dat moest aanleggen!

Hij werkte op kantoor slordig en kreeg nog vóór lunchtijd twee aanmerkingen.

Waar kon je zo'n heler vinden? In Whitechapel, vermoedde hij, dat leek er wel een geschikte buurt voor – of was het Stepney?

Toen hij op kantoor terugkwam werd hij opgebeld. Dorothy's stem, tragisch, vol tranen.

'Ben jij 't, Ted? Ik gebruik gauw even de telefoon, ze kan elk ogenblik binnenkomen en dan moet ik ophangen. Ted, je hebt toch nog niets gedaan, je weet wel wat ik bedoel?'

'Nee,' zei Edward.

'Luister eens, Ted, je moet het vooral niet doen. Ik heb de hele nacht wakker gelegen. Het was vreselijk. Ik moest aldoor denken aan wat er in de Bijbel staat over "Gij zult niet stelen"! Ik moet gisteren gek zijn geweest. Je zult het toch niet doen, hè, lieverd?'

Voelde Palgrove zich opgelucht? Misschien wel, maar hij was niet van plan dat te erkennen.

'Als ik zeg dat ik iets doorzet, dan zèt ik het door,' zei hij, en zijn stem was die van een sterke superman met staalgrijze ogen.

'O, maar Ted, liefste, je mag het niet doen. O, jeminee, daar komt ze aan. Ted, ze gaat vanavond uit dineren, ik kan dan even wegglippen en met je spreken. Doe nog niets voor je me gesproken hebt. Acht uur. Op de hoek.' Haar stem werd ineens poeslief. 'Ja, mevrouw, het was een verkeerd nummer. Ze moesten Bloomsbury hebben.'

Toen Edward om zes uur het kantoor verliet werd zijn blik getrokken door enorme kopletters:

Juwelendiefstal. Laatste berichten

Haastig kocht hij een krant en veilig in de ondergrondse bladerde hij gretig het blad door. Hij vond al spoedig wat hij zocht.

Hij floot onderdrukt.

'Wel, verd . . .'

En toen ontdekte hij nog een ander berichtje. Hij las het en liet de krant zakken.

Precies om acht uur stond hij op de afgesproken plaats te wachten, en een ademloze Dorothy, bleek maar aantrekkelijk, liep haastig op hem af.

'Je hebt het toch nog niet gedaan, Ted?'

'Nee.' Hij haalde de ketting uit zijn zak. 'Je kunt hem gerust omdoen.'

'Maar Ted –'

'De politie heeft de robijnen en de man die ze gestolen heeft al te pakken. Lees dit maar eens.'

Hij hield haar een kantebericht onder de neus en Dorothy las:

Een nieuwe reclamestunt

De vijfpenny bazar 'Geheel Engels' heeft een knappe reclamestunt uitgehaald. Gisteren werden mandjes fruit te koop aangeboden en voortaan zal dat elke zondag gebeuren. Op elke vijftig mandjes zal er één een halsketting in verschillende kleuren bevatten. Die kettingen zijn werkelijk bijzonder mooi voor de prijs. Gisteren veroorzaakten ze grote opwinding en vrolijkheid en de leuze *eet meer fruit* zal aanstaande zondag zeker opgeld doen. We feliciteren de firma met haar vindingrijkheid en wensen haar succes met deze campagne ten gunste van Engelse producten.

‘Nee maar –’ zei Dorothy.

En even later nog eens: ‘Nee maar –’

‘Ja,’ zei Edward, ‘zo denk ik er ook over.’

Een voorbijkomende man duwde een papier in zijn hand.

‘Lees het, broeder,’ zei hij.

De prijs van een deugdzame vrouw gaat robijnen verre te boven.

‘Daar!’ zei Edward. ‘Ik hoop dat dat je opkikkert.’

‘Dat weet ik niet,’ zei Dorothy weifelend. ‘Ik wil er liever niet bepaald uitzien als een deugdzame vrouw.’

‘Dat doe je ook niet,’ zei Edward. ‘Daarom gaf die man ons juist dat papier. Met die robijnen om je hals zie je er helemaal niet uit als een brave vrouw.’

Dorothy lachte.

‘Je bent tòch een schat, Ted,’ zei ze. ‘Kom laten we naar de bios gaan.’